Dein Englisch ist nicht so *the yellow from the egg*? Dann ist das hier dein Buch! Zwei Engländer nehmen dich mit auf eine urkomische Reise zu den größten Sehenswürdigkeiten der deutschen Sprache – aufbereitet für den unkomplizierten Export ins Englische. Kluge deutsche Redewendungen, schräge Sprichwörter und absurde Begriffe sind in Form von Denglisch nicht nur ein Riesenspaß für alle Deutschen, die vielleicht vergessen haben, wie großartig ihre Sprache ist – sondern auch die ideale Einführung des bedauernswerten *foreigner* in die Genialität der deutschen Sprache. So wird künftig jeder erkennen, dass mit dem Deutschen *very good cherry eating* ist.

ullstein

Haftungsfreistellungserklärung

Die Geschichten in diesem Buch sind durchgehend in der Ich-Form geschrieben, wofür wir in aller Form um Entschuldigung und Verständnis bitten. Wir haben beim Schreiben selbst ein wenig den Überblick verloren, wer von uns nun wer ist. Insbesondere die Formulierung »meine deutsche Freundin« könnte zu Missverständnissen Anlass geben. Deshalb hier der ausdrückliche Hinweis, dass wir keine Dreiecksbeziehung führen, sondern jeder eine wunderbare deutsche Freundin hat. Es war aber praktischer, die beiden zu einer einzigen Frauenfigur zu verschmelzen – schon weil wir so immer auf das andere Paar verweisen können, wenn eine der Freundinnen sich unzutreffend beobachtet und beschrieben fühlt.

Die Autoren

Adam Fletcher, geboren 1983 in England, ist inzwischen ein glatzköpfiger Berliner. Nachdem er bereits viele Jahre in diesem wunderbaren Land verbracht hat, könnte er sich eigentlich Deutscher nennen – hätte er nicht solche Probleme, Dativ und Akkusativ auseinanderzuhalten und den Plastikmüll korrekt vom Altpapier zu trennen.

Wenn er nicht gerade Bücher oder Artikel über seine geliebte Wahlheimat schreibt, isst er meistens Schokolade oder macht ein Nickerchen. Egal, zu welcher Tageszeit du diesen Text liest – der Autor wird mit einer Wahrscheinlichkeit von 87,4 % gerade vor sich hin dösen. Chrrrr. In den kurzen Wachphasen hat er unter anderem den Bestseller *How to be German/Wie man Deutscher wird* geschrieben.

Paul Hawkins ist Schriftsteller, Lügner und Astronaut. Sein lebenslanges Projekt heißt »Vermeide einen richtigen Job«, weshalb es ihn in die Hauptstadt der Prokrastination verschlagen hat: Berlin. Wenn er nicht gerade die deutsche Sprache verbiegt oder sich für sich selbst entschuldigt, besteht er weiterhin schamlos darauf, regelmäßig komische Bücher, Artikel und Drehbücher zu verfassen.

Adam Fletcher
Paul Hawkins

Denglisch
for Better Knowers

Fun Birds, Smart Shitters, Hand Shoes
und der ganze deutsch-englische Wahnsinn

Aus dem Englischen von
Oliver Thomas Domzalski

Ullstein

Besuchen Sie uns im Internet:
www.ullstein-taschenbuch.de

Originalausgabe im Ullstein Taschenbuch
1. Auflage Mai 2014
© Ullstein Buchverlage GmbH, Berlin 2014
Umschlaggestaltung und -abbildung: Robert M. Schöne
Illustrationen im Innenteil: Robert M. Schöne
Satz: KompetenzCenter, Mönchengladbach
Gesetzt aus der Berkeley/Officina
Papier: Pamo Super von Arctic Paper Mochenwangen GmbH
Druck und Bindearbeiten: CPI books GmbH, Leck
Printed in Germany
ISBN 978-3-548-37536-6

Vorwort

Liebe Leser,

sicherlich kennt auch ihr die Stoßseufzer von Menschen, die versuchen, mit der deutschen Sprache klarzukommen. Je weniger ihnen das gelingt, desto wahrscheinlicher werden sie mit folgenden Klischees aufwarten:

1. »Das Deutsche klingt so hart. Nimm nur mal das Wort *SCHMETTERLING!* Sogar dieses hauchzarte Flatterwesen benennen sie mit einem Wort, das klingt wie zwei wütende Roboter beim Wrestling!«
2. »Die haben so entsetzlich lange Wörter! *Streichholzschachtel!* Grotesk!«
3. »Mark Twain hat über das Deutsche ungefähr gesagt, dass diese Sprache offensichtlich von einem Geisteskranken mit einem Faible für endlose Wörter erfunden worden sei und aus der Liste der Weltsprachen gestrichen gehöre.«
4. »*Schadenfreude* ist echt ein gutes Wort. Dafür gibt es im Englischen keine Entsprechung. Womit es nur noch 2487:1 für das Englische steht ...«

Ihr und wir wissen natürlich, dass das alles Quatsch ist. Die meisten Sprachen klingen hart für fremde Ohren – vor allem, wenn man im Befehlston in ihnen rumschreit, wie es Leute gerne tun, um sich über das Deutsche und die Deutschen lustig zu machen. Dass manche Wörter so lang sind, hat mit dem speziellen Genius der deutschen Sprache zu tun und spricht für und nicht gegen sie. Mark Twain ist schrecklich komisch – aber er hat nicht im Ansatz begriffen, welchen Genuss man aus der Komplexität des Deutschen ziehen kann. Und die *Schadenfreude* ist keineswegs die Ausnahme von der Regel, sondern nur das bekannteste Beispiel einer Fülle von Lehnwörtern, die das Deutsche dem Englischen und anderen Sprachen geschenkt hat.

Wir – zwei Engländer, die das Deutsche lieben – möchten dieser Sprache die dringend benötigte Markenauffrischung verschaffen, damit die alten Vorurteile überwunden werden. Jemand muss etwas für die deutsche Sprache tun – und wir wollen diese Jemand(e) sein. Dass es sich nicht um unsere Muttersprache handelt, dürfte eher ein Vor- als ein Nachteil sein: Wir können uns viel besser an Wörtern und Ausdrücken erfreuen, über deren wörtliche Bedeutung Deutsche niemals nachdenken.

Dieses Buch ist eine Liebeserklärung an die deutsche Sprache. Wir hoffen, es gefällt euch.

Liebe Grüße,
Adam und Paul

P.S. Uns ist bewusst, dass das Kunstwort »Denglisch« in verschiedenen Bedeutungen verwendet wird. Wir meinen damit, dass wir uns aus der aktuellen deutschen Umgangssprache Wörter, Redewendungen oder Denkfiguren schnappen (egal, ob sie ganz ursprünglich germanisch sind, aus dem Lateinischen stammen oder sonst woher kommen) und sie ins Englische übertragen.

Anmerkung des Übersetzers: *Kursiv* gesetzte Passagen wurden unverändert aus dem englischen Originaltext übernommen bzw. in der englischen Fassung belassen.

Einleitung

Es gab einmal eine Zeit, da waren das Englische und das Deutsche ein unzertrennliches junges Pärchen. Sie benahmen und kleideten sich gleich, sie klangen fast identisch.

Aber der Zahn der Zeit nagte auch an dieser Traumehe. Erste Risse wurden sichtbar und Bitterkeit hielt Einzug. Anfangs schliefen sie nur in getrennten Betten, dann in getrennten Zimmern und schließlich bezogen sie getrennte Häuser. Heute sind sie auf ewig getrennt durch den Kanal, durch Frankreich und durch diverse Kriege, und sie verleugnen die guten Zeiten, die sie einst miteinander hatten.

Das Deutsche zog sich vollständig zurück und leckte seine Wunden in einer einsamen Höhle, wo es allenfalls ab und zu von einem geneigten Österreicher oder Schweizer besucht wurde. Genau den gegenteiligen Weg wählte das Englische: Wie zum Ausgleich für lange entbehrte Freuden warf es alle Hemmungen über Bord, flirtete mit Exoten aus aller Welt und wollte everybodies darling sein. Es vergaß seine Wurzeln, kümmerte sich nicht mehr um die alten Geschlechter, die seine Vorfahren waren, und sammelte Eroberungen aus allen Ecken der Welt und nahm sie in seinen Wortschatz auf. Einige sagen sogar, dass die Sprache William Shakespeares sich zum billigen Flittchen machte, das von allen gemocht und möglichst bekannt werden wollte. Mit einem Wort: Das Englische stieg mit jedem in die Kiste.

In der Zwischenzeit stapfte das Deutsche beleidigt und

nachtragend wie ein sturer Gaul weiter – ungerührt von den wild hupenden englischen Autofahrern hinter sich. Und so dauerte es nicht lange, bis sein früherer Geliebter den Job als Weltsprachen-CEO bekam und von nun an der Lauteste war, wenn global kommuniziert wurde.

Heute ist das Deutsche von allen Seiten bedroht: von außen, weil kaum noch jemand Deutsch als Fremdsprache wählt, wo Trendsprachen wie Spanisch, Esperanto oder Mandarin locken. Und von innen, weil die jungen Leute und die Wirtschaft immer enthemmter zum nächsten Anglizismus greifen und am liebsten alles nur noch *upgedatet, upgeloadet, gepostet* und *outgesourcet* hätten, während die gleichwertigen deutschen Wörter auf den Sperrmüll fliegen wie Omas Schrankwand.

Die Tamburinspieler dieser Welt meinen vielleicht, dass es egal sei, welche Sprache wir sprechen, solange wir uns nur gegenseitig verstehen. Aber wir finden, dass man Kostbares schützen muss, wenn es unwiederbringlich zu verschwinden droht. Mit der nötigen Sensibilität und Kunstfertigkeit verwendet, ist das Deutsche wie keine andere Sprache in der Lage, die Gedanken seiner Nutzer präzise auszudrücken. Und wie alle Sprachen ist auch das Deutsche viel, viel mehr als eine bloße Ansammlung von Vokabeln: Es ist der Werkzeugkasten, mit dem sich der Geist und die Ideen einer ganzen Kultur freilegen und verstehen lassen – der Kultur, die einst als die der »Dichter und Denker« bezeichnet wurde.

Die Deutschen hängen verständlicherweise sehr treu an ihren wunderbaren Wörtern und Wendungen. Und sie haben einige dieser Wörter in andere Sprachen exportiert, wie zum Beispiel *Kindergarten, Rucksack, Gesundheit* und *Zeitgeist*. Aber ach: Das typische Lehnwort sitzt meist vereinsamt und alleine in einem englischen Satz herum wie ein trauriger Partygast. Die volle, bewunderungswürdige Pracht und Power des Deutschen bleibt den allermeisten Ausländern für immer verborgen. Nur die Geduldigsten unter ihnen versuchen, die Sprache Goethes und Thomas Manns von der Pike auf zu lernen. Und auch von diesen geben die meisten spätestens dann auf, wenn die deutsche Grammatik sie zum siebenhundertsten Mal mit sardonischem Lächeln in die Falle gelockt hat. Dann stellen sie sich tot und beschränken sich bald wieder auf das gemurmelte »Zwei Bier, bitte« in ihrer Stammkneipe. Denn man kommt ja mit Englisch prima durch.

Da der globale Einfluss des Englischen immer weiter wächst, werden immer mehr Deutsche gezwungen sein, ihre eigene Sprache zu seinen Gunsten zu vernachlässigen. Aber es gibt eine Alternative. Wir nennen sie Denglisch. Auf den ersten Blick mag es so scheinen, als hätten wir einfach die unbeholfensten deutschen Wörter und Redewendungen genommen und aus Quatsch wörtlich ins Englische übertragen. Aber dieses Buch ist viel mehr als das. Denglisch bietet die Möglichkeit, dem little foreigner die wunderbaren Ausdrücke und Gedanken der Deutschen schön verpackt zu überreichen – eingewickelt in die vertrauten Wörter seiner eigenen Sprache, so dass er auch die Gastwörter versteht. Es ist eine Chance, etwas weiterzugeben und Dankbarkeit zu zeigen.

Und wenn die Hürden erst mal gesenkt sind, wird der Rest der Welt geradezu entwaffnet der vollen, ursprünglichen Kraft gegenüberstehen, die der deutschen Kultur innewohnt. Sie werden lernen. Sie werden beeindruckt sein. Sie werden die Schönheit der deutschen Sprache respektieren und schätzen lernen. Auch dann, wenn die Denglisch-Ausdrücke ein wenig unbeholfen klingen, werden wir zu erklären wissen, warum der little foreigner froh sein sollte, dass seine kleine Spielzeugsprache um diese Wendung bereichert wird.

In dieser ganz subjektiven Sammlung stellen wir für jeden relevanten Lebensbereich unsere liebsten Ausdrücke, Redewendungen, Wörter und sonstigen Sprachschätze des Deutschen vor.

Liebe Nicht-Deutsche: Möglicherweise spürt ihr jetzt einen gewissen Widerwillen. Oder Verwirrung. Oder gar komplette Ratlosigkeit. Haltet einfach durch! Als Ausländer werdet ihr anfangs möglicherweise nicht verstehen, warum ihr künftig *ask after sunshine, eat cherries with someone* oder *reach him the water* sollt. Aber auch wenn Denglisch euch nicht sofort als *the yellow of the egg* erscheint oder ihr *understand only train station*, müsst ihr uns glauben, dass wir *mean nothing for ungood*. Habt keine Sorge: Dieses Buch wird euer edles Bestreben fördern, ein besser sprechender Mensch zu werden.

Und liebe deutsche Leser: Seid nicht zu streng mit uns. Bitte denkt, bevor ihr den Rotstift zückt oder einen Leserbrief schreibt, weil ihr meint, dass wir die eine oder andere Nuance eurer schönen Sprache nicht voll erfasst haben, an die schöne Wendung *to leave five be even*.

Denglisch in the Office

Das Konzept ist zu fuzzy.
Wir müssen durch den clutter breaken!

Es war 2006, als Günther Oettinger, der damalige Minister-
präsident von Baden-Württemberg, verkündete, wie das mit
den Sprachen künftig sein werde: »Englisch wird die Arbeits-
sprache, Deutsch bleibt die Sprache der Familie und der Frei-
zeit, die Sprache, in der man Privates liest.« Seine (angesichts
seiner unterirdischen Englisch-Aussprache zum Glück auf
Deutsch vorgetragene) Meinung löste eine Debatte aus. Eine
Minderheit begrüßte die Aussicht, dass das Deutsche in den
Privatbereich verbannt würde wie die Pornosammlung. Aber
die Mehrzahl der 82 Millionen Deutschen fand das eine eher
blöde Idee, weshalb der gute Günther 2006 für seine Prognose
den Ehrentitel »Sprachpanscher des Jahres« erhielt.

Aber auch wenn Oettinger dafür getadelt werden muss,
dass er angesichts der ersten ins Englische *outgesourceten*
Wörtchen gleich die weiße Flagge hisste, hatte er in einem
Punkt doch recht: Die Arbeitswelt mit ihren *Meeting Rooms*,
Incentive-programs und *Bullshit-Bingos* setzt dem Ansturm der
Anglizismen den allergeringsten Widerstand entgegen. Das
Internet lässt die Welt wie einen zu heiß gewaschenen Pul-
lover zusammenschrumpfen, und gerade die deutschen
Exportweltmeister müssen immer mehr Geschäfte auf Eng-
lisch abwickeln. Da wächst die Versuchung, auch dann in die

13

Keksdose mit der Aufschrift »Schicke englische Wörter« zu greifen, wenn man gerade nur mit Deutschen kommuniziert. In Deutschland. Als Deutscher. Auf Deutsch. Ihr kennt das sicher.

Dann beginnen diese englischen Kekskrümel sich auch in dem Bereich breitzumachen, der laut Oettinger als einziger dem Deutschen vorbehalten bleiben sollte. Und eines Tages werden in deutschen Wohnzimmern, während wir gerade Goethe lesen, solche Sätze erklingen: *»Der Computer rebootet nicht. Ich wollte doch mit einem High Society Groupie flirten und chatten. Ich bekomme einfach kein Happy Ending.«* oder *»Birthday Parties sind immer ein Highlight. Tolle Happenings mit Happy Hour. Da profitiere ich von all meinen social tools und features. Ich bin ein Ladykiller!«*

Was also ist zu tun? Nun, zurückschlagen! Das Englische hat schließlich gezeigt, wie allgegenwärtig die cool klingenden (und sinnlosen) Bürophrasen sein können – so wie *pushing envelopes, reinventing wheels, singing from hymn sheets, getting ducks in a row, thinking outside boxes.* Bullshit-Bingo-Wendungen wie diese haben sich in allen Büros der Welt festgesetzt wie Ungeziefer – und niemand weiß, woher sie mal kamen, wer sie zuerst verwendete und was sie verdammt noch mal bedeuten sollen. Wenn sich dafür sowieso niemand interessiert – warum soll man nicht auch ein paar auserlesene deutsche Büro-Sprüche in den internationalen Denglisch-Brei rühren?

Die Lieferwege für diese Spracherweiterung sind ja vorbereitet: *inter-company* E-Mails, *morning stand-up meetings, company gossip* und der kleine *chat* beim Wasserspender. Das Büro ist der ideale Klassenraum, in dem wir unseren Kollegen in aller Welt die tägliche Dosis Denglisch verpassen können. Die Freunde der deutschen Sprache müssen nur die richtigen Wörter auf den internationalen Büro-Äckern verteilen – und dann zusehen, wie die Saat aufgeht.

Hello together *(Hallo zusammen)*

Jeder, zu dessen global agierender Firma auch ein Büro voller freundlicher, fleißiger und anspruchsvoller Deutscher gehört, hat vermutlich schon mal eine Rundmail erhalten, die mit der Anrede *»Hello together«* beginnt – anstatt des Englischen *»Hi all«*. Bei meinem ersten Job in Deutschland gab es sogar eine Kollegin, die diesen Gruß morgens quer durchs Großraumbüro schmetterte. Warum ist *»Hello together«* besser als *»Hi all«*? Der Unterschied ist zwar fein, aber doch deutlich: Mit *»Hi all«* grüßt ein Einzelner alle anderen. Die Anrede trennt. Sie sagt, dass jeder für sich steht. Dass jeder eine Insel ist. *»Hello together«* dagegen betont die Gemeinsamkeit aller. Es stärkt den Solidargedanken. Einheit. Gewerkschaft. Kameradschaft. Wir sind keine einsamen Inseln, sondern eine Inselgruppe. Ein Archipel. Und wenn man uns schlecht behandelt, tun wir uns zusammen und zetteln einen Aufstand an. Dann machen wir schon um 19 Uhr Schluss und stellen die Stühle nicht ordentlich an den Tisch. Nimm das, Chef!

Party Evening *(Feierabend)*

Jede Kultur hat ihre kleinen Feier-Rituale, mit denen das Ende der intensiven Arbeitsphase des Tages begangen wird. Ein paar Drinks in der After-Work-Bar nach der letzten Milliarden-Zockerei am Bildschirm, ein Lagerfeuer mit Liedern zur Klampfe nach dem Töpfern oder auch eine fetzige Iglu-Disko nach dem Einbringen des Jahresvorrats an stinkendem Walfett. Wenige Kulturen allerdings haben so viel Vertrauen in ihre Mitglieder, dass sie ihnen zu jeder Tages- und Nachtzeit einen schönen Feierabend wünschen – notfalls auch morgens um 10. Diese Formulierung lädt geradezu ein zum Missbrauch. Sicher ist sie wohl nur in den bewährten und verantwortungsvollen Händen der Deutschen. Wünscht einem spanischen Zeitungsjungen einen »Nice Party Evening« nach seiner frühmorgendlichen Runde – und seine friedlich schlummernden Mitbürger werden alsbald von einem wilden Feuerwerk aus dem Schlaf gerissen. Wünscht einem ungestümen brasilianischen Müllmann zu Beginn des morgendlichen Berufsverkehrs einen »Nice Party Evening« – und die komplette Stadt ist prompt von einem Megastau hupender Autos hinter einer federgeschmückten Samba-Parade der städtischen Müllabfuhr lahmgelegt. Wünscht dem kleinen russischen Bäcker einen »Nice Party Evening«, wenn die morgendlichen Brötchen gebacken sind – und er wird lange vor dem Mittagessen voll des guten Wodkas besinnungslos auf einer Parkbank liegen. Nur die zuverlässigen Deutschen werden nach dem Ende ihrer Schicht ruhig und besonnen warten, bis auch alle anderen Feierabend haben und man gemeinsam und sozialverträglich das Ende des Arbeitstags begehen kann.

Smart Shitter *(Klugscheißer)*

Überheblicher Arbeitnehmer, der sich dermaßen unterfordert fühlt, dass er auf Kosten des Arbeitgebers möglichst viele Stunden des Tages auf dem Scheißhaus verbringt.

Chair Farter *(Sesselpupser)*

~~Arbeitnehmer, dessen Tagwerk sich darin erschöpft, einen Stift hin- und herzuschieben und den Diebstahl seines Büro-stuhls zu erschweren.~~

ÜBERHEBLICHER ARBEITNEHMER, DER SEINE ARBEIT DERMASSEN LIEBT, DASS ER NIEMALS WÄHREND DER ARBEITSZEIT UND AUF KOSTEN DES ARBEITGEBERS AUFS KLO GEHT UND SEINE KLUGSCHEISSENDEN KOLLEGEN DIE FOLGEN DER UNTERDRÜCKTEN DARMENTLASTUNG DIREKT SPÜREN LÄSST.

Egg Swinging *(Eierschaukeln)*

Der englischen Sprache mangelt es bedauerlicherweise an anschaulichen Ausdrücken für Faulpelze. Es gibt den *layabout*, ein lahmes, uninspiriertes Wort, das man am Satzende schon wieder vergessen hat. War das *layaround*? Oder *be-about*? Keine Ahnung.

Das Deutsche hingegen versteht es, dem Zuhörer sofort ein starkes Bild vor das geistige Auge zu zaubern. Wie bei *chair farting*. Poetisch und präzise. Man hat den Puper und seinen Sessel sofort vor Augen. Aber das Deutsche geht noch weiter: Es differenziert zwischen unterschiedlichen Arten von Faulpelzen. Der *Chair Farter* ist ein sitzender Faulpelz. So weit, so klar. Egal ob Mann oder Frau – die Bedeutung ist leicht zu erschnuppern. Aber was passiert, wenn du einem männlichen Faulpelz den Bürostuhl wegziehst? Wenn er sein Nichtstun im Stehen absolvieren muss und der Firma dabei etwa so viel Umsatz bringt wie der Garderobenständer? Dann handelt es sich natürlich um einen *Egg Swinger*.

Everything in the green range
(Alles im grünen Bereich)

Das Leben ist kompliziert und sperrig. Weshalb man nicht immer klar sagen kann, wie man sich gerade fühlt, während man sich … irgendwie fühlt. Vor allem, wenn die Leute einen vage Sachen fragen wie: »Alles okay?«, »Alles gut?« oder »Alles in Ordnung?« In solchen Situationen kann das Englische enorm profitieren von *everything in the green range*. Denn nun ist dein Befinden kein abstraktes Ding mehr, sondern etwas, das man messen kann. Mit der Art Messgerät, die Homer Simpson in seinem AKW immer abzulesen vergisst. Dein Verhältnis zu deinen Empfindungen wird sich total verändern. Du musst nicht mehr die absurde Entscheidung zwischen »gut« und »schlecht« treffen, sondern du hast eine ganze Skala zur Verfügung. Alles ist immer im Fluss. Stau auf dem Weg zur Arbeit? Das Messgerät schlägt aus Richtung Rot. Die schöne Kollegin aus dem Marketing lächelt dir im Fahrstuhl zu? Zack, Richtung Grün. Du gehst mit ihr auf einen Kaffee in die Kantine und kommst deshalb zu spät zum Meeting mit dem Chef? Es geht Richtung Orange. Jedes Ereignis verändert den Zeigerstand auf der Skala – alles zwischen einem beruhigenden Wiesengrün und einem Höllenfeuerteufelsglutwut-Rot ist möglich.

Give me a house number
(Nennen Sie mal eine Hausnummer)

Im englischen Bürosprech bezeichnet man geschätzte Zahlen als *ballpark figures.* Da vermutlich niemand, der diese Formel benutzt, jemals Baseball gespielt hat, kennt man sich mit *ballparks* meist in etwa so gut aus wie mit chinesischen Dynastien vor 1600. Jedenfalls: Der Ausdruck *»give me a ballpark figure«* meint in etwa »Auf genaue Zahlen kommt's nicht an, spekulier einfach wild drauflos.« Also: Mach mal eine nutzlose und ungenaue Angabe, die die Leute ungefähr in die richtige Richtung schickt – und lass sie dann dort alleine. Den Löwen, Wölfen oder Steuerprüfern schutzlos ausgeliefert – oder welche Viecher sonst die Alpträume von Angestellten bevölkern. Dagegen: eine Hausnummer! Damit kann man doch arbeiten! Sie steht an einem festen, unverrückbaren Gebäude. Du kannst dort klingeln. Oder dich bei den Nachbarn erkundigen. Du kannst davor warten, im Auto, und die Bewohner durch ein Loch in der Zeitung beobachten. Du kannst dabei Stullen essen und Kaffee aus der Thermoskanne trinken. Und warten. Irgendwann wird die genaue Information auftauchen. Und du wirst da sein.

DENGLISCH VERBOTEN!

Liebe Kolleginnen und Kollegen,

zur Erinnerung: Unsere Geschäftssprache ist Deutsch – eine vollwertige Sprache mit eigenen Ausdrucksmöglichkeiten für jede Situation.

Ab sofort zahlt jeder, der mündlich oder schriftlich einen der unten aufgeführten Schwachsinnsausdrücke verwendet, € 1 in das Anglizismus-Glas. Die deutschen Ausdrücke habe ich hinzugefügt – für die, die sie vergessen haben.

Downloaden	*Herunterladen*
Outsourcen	*Ausgliedern*
Upgraden	*Aufrüsten*
Forwarden	*Weiterleiten*
Enforcen	*Durchsetzen*
Follow-Uppen	*Nachverfolgen*
Highlighten	*Hervorheben*
Overengineeren	*Verkomplizieren*
Twittern/Facebooken	*Zeit verbraten*
Brainstormen	*Zeit verbraten*

Danke,
DAS MANAGEMENT

ANGLIZISMUS-GLAS
BITTE NICHT INSTAGRAMMEN

My Dear Mister Singing Club's School of Denglisch: Der Umlaut-Komplex

In *Mr. Lovely Singing Club's School of Denglisch* stellen wir Elemente der deutschen Sprache vor, die uns faszinieren – und wir hoffen, dass euch am Ende ebenfalls ein *»Fascinating!«* entfährt. Wie bereits in der Einleitung erwähnt, ist Englisch der Wanderpokal unter den Sprachen – jeder hatte schon mal seine schmierigen Griffel dran. Diesem Umstand hat das Englische, wie oft betont wird, den vielfältigsten und vielseitigsten Wortschatz aller Sprachen zu verdanken. Eher selten hingegen wird erwähnt, dass sich, als blinde Passagiere, auch sämtliche Unsinnigkeiten aller anderen Sprachen mit an Bord geschlichen haben.

Zum Beispiel die Orthographie. Während andere Sprachen, die mit dem Lateinischen Alphabet arbeiten, die 26 kleinen Zeichen durch Umlaute und Akzente in die korrekte Aussprache zwangen und so ein nachvollziehbares phonetisches System schufen, starrte das Englische ratlos auf den Eintopf aus französischen, lateinischen, deutschen und skandinavischen Lauten und Schreibweisen – und kapitulierte. Soll doch jeder selbst sehen, wo er bleibt.

Nähmen Sprachen über Nacht Menschengestalt an, wäre das Englische ein irrer, schlafwandelnder Lehrer, der mit wirrem Haar nackt auf dem Dach steht und die ganze Welt hysterisch anbrüllt: *»YOU SPELLED ›PHOENIX‹ WRONG, IDIOT!!«*

Das Deutsche hingegen ist ein Traum für jeden Buchstabierer – ein weitgehend logisches, schlüssiges System von Buchstaben und den zugehörigen Lauten. Es wäre der fürsorgliche Passant unten auf der Straße, der den nackten Lehrer ganz sanft fragt: »Meinten Sie Phönix?«

Wer nicht glaubt, dass die englische Sprache einen *Umlaut*-Komplex hat, ist leider schiefgewickelt. Wir warten nur, dass ihr alle mal weguckt, um euch dann ein paar Kisten aus Eurer Umlaut-Höhle zu klauen. Blöd nur, dass wir dann ungefähr so viel damit anfangen können wie Paviane, die sich in einer Bibliothek bedient haben.

Nehmen wir etwa die – mittlerweile nicht mehr bestehende – englische Küchenkette *Möben*. Ungefähr fünf Jahre lang stritt die Firma aus Manchester mit der englischen Werbeaufsicht um ihren Umlaut. Ein Verbraucher hatte sich beschwert: Der Umlaut erwecke den Eindruck, es handele sich um ein deutsches Unternehmen. Genau das war es ja auch, was *Möben* wollte. Jeder weiß, dass »*Made in Germany*« für Qualität steht (auch wenn die Briten das Label ironischerweise im 19. Jahrhundert einführten, um vor minderwertiger deutscher Importware zu warnen). Vom Huf Haus bis zur pädagogisch wertvollen Ostheimer-Figur – wir Engländer glauben, dass die deutschen Waldschrate einfach besser mit Holz umgehen können. Um als seriöser Anbieter ernst genommen zu werden, brauchte es also einen Umlaut. Und so wurde aus *Moben* kurzerhand *Möben*.

Das Phänomen beschränkt sich keineswegs auf die Welt der Inneneinrichtung. Auch der *Metal-Umlaut* ist weit verbreitet. *Mötley Crüe* sind wahrscheinlich das bekannteste Beispiel, dicht gefolgt von *Motörhead* auf Platz zwei. Ich stelle mir gerne vor, wie der geklaute Umlaut die Band während ihrer Deutschland-Tour zu verfolgen begann, weil jeder sie »Moetley Cruee« nannte. Und sie so: »It's Motley, guys. M-O-T-L-E-Y. The umlauts are just for show, it's not a real umlaut«. Und die Deutschen so: »Hä? Kein richtiger Umlaut? Was heißt hier *just for show*? Umlaute sind eine ernste Sache, ihr zutätowierten Ausländer! Die sind kein falscher Schnurrbart, den man einem beliebigen Vokal einfach so ankleben kann!«

Ganz offensichtlich braucht die englische Sprache eine hübsche kleine Revolution des gesunden Menschenverstands, damit nicht weiterhin jede Generation den dogmatischen Rechtschreib-Unsinn übernimmt, den ihre Urgroßeltern mal zugelassen haben. Wie viele Lagen *phoenix* sollen noch übereinandergelegt werden, bevor ein tapferer Ritter die alten Burgmauern anzündet, damit aus der Asche ein neues Schloss namens *Phönix* hervorgehe?

Das Englische wird sich nicht von allein verändern. »Evolution« heißt leider nicht, dass es immer besser wird – manchmal bedeutet Evolution auch die Summe aller Fehler, die man machen kann, indem man am angeblich Bewährten festhält. Der Mensch hat nutzlose kleine Zehen und einen sinnlosen Blinddarm, der manchmal ohne Grund platzt. Das Englische hat seine Orthographie.

Es muss also von außen verändert werden. Wir brauchen Vorbilder – wie zum Beispiel die Deutschen. Nehmen wir einen ganz normalen englischen Satz: *The bear's heir with the rare hair can make a prayer, eh?* Alle Vokale in den entscheidenden Wörtern werden identisch ausgesprochen, aber die Orthographie variiert geradezu absurd. Der Satz ist ein Beispiel dafür, dass die englische Rechtschreibung eine einzige große, heimtückische Falle ist für arglose Schulkinder, lernwillige Ausländer und jeden sensiblen Unangepassten (von

Lehrern gerne als Legastheniker bezeichnet). Dabei ließe sich die Orthographie unseres Beispielsatzes mit Hilfe eines simplen kleinen Umlauts harmonisieren, so dass jeder sofort wüsste, wie man das ausspricht: *The bär's här with the rär här cän mäik ä prär, ä?*

Sieht doch gut aus, oder? Da unsere Kinder ohnehin nur noch digital lesen und so etwas wie »Bücher« nur noch im Naturkundemuseum (Abteilung »Tote Bäume«) anstarren werden, wäre genau jetzt der ideale Moment, um die englische Orthographie zu harmonisieren. Wenn die NSA sowieso alles mitliest, könnten sie sich doch nützlich machen und die englische Rechtschreibung ein bisschen anpassen. Oder Google entwickelt einen gigantischen »Suche-und-Ersetze«-Befehl, der den digitalisierten Teil der englischen Schrift-kultur auf einen Schlag korrigiert und das goldene Zeitalter der deutsch inspirierten englischen Lautsprache einläutet.

Denglisch at Home

A Denglischman's home is his Before Hanging Castle

Endlich *Party Evening*! Pack deine Sachen zusammen, stopf sie in deinen *Backsack* und ab in deine warme, praktisch eingerichtete und doch gemütliche *two-room-Wohnung,* um das Denglisch weiter zu vertiefen.

Aber ... Moment mal! Ist das nicht die Wohnung, die Günther Oettinger als letzten Zufluchtsort der reinen, unverdorbenen deutschen Sprache ausgemacht hatte? Aber ach: Auch die deutsche Wohnung ist bereits infiltriert durch unzählige »coole« neue Anglizismen – die Namen und Slogans internationaler Produkte, Medien und Fernsehsendungen. Da die meisten jungen Deutschen im Laufe ihrer Schulzeit einen Auslandsaufenthalt in einem englischsprachigen Land einlegen werden, ist es nur sinnvoll, ihnen zur Vorbereitung bereits in ihrer bescheidenen deutschen Wohnung ein paar Denglisch-Ausdrücke mit auf den Weg zu geben, die sie dann über die Weltmeere in alle Ecken und Winkel des Commonwealth hinaustragen sollen. Wenn sie dann wie trojanische Pferde in den Wohnzimmern ihrer arglosen Gastgeber sitzen, öffnen sie ihre *Backsacks* und lassen die Schmuggelware frei, um so die Aufnahmebereitschaft der Einheimischen für die Denglisch-Revolution zu erhöhen.

Niemand soll mehr sicher sein. *No Wohnung shall be safe.*

Before Hanging Castle *(Vorhängeschloss)*

Wo sind sie hin, die guten alten Schlösser? Die so stark waren, dass du mit einem einzigen deine gesamte Familie am Boden halten konntest, wenn ein Hurrikan nahte? Die sich nicht schämen mussten, Schloss zu heißen? Heutzutage können Schlösser pinkfarben sein. Und klein. Und jämmerlich. Teil des Konfetti, das zu Silvester aus dem Tischfeuerwerk fliegt. Entwürdigt als Verschlüsse von Lilifee-Federmäppchen. Und die Höchststrafe: Von kitschigen Touristen-Pärchen an Eisenbahnbrücken befestigt als ewiges Denkmal des Schwachsinns, den sie für Liebe halten. (Von wegen ewig: Die Stadtreinigung entfernt die Dinger regelmäßig) Würg! Kann es sein, dass das Englische ein neues Wort für das braucht, was sogenannte *Padlocks* einmal waren – die klassische, robuste, stabile, zuverlässige Sicherung gegen Bösewichte? Denglisch verspricht uns neuen Schutz: *Before Hanging Castle*. Ein Wort wie eine Trutzburg. Eine Zugbrücke, die man rechtzeitig vor dem Angreifer hochzieht. Eine Wehr.

I hedgehog myself *(Ich igle mich ein)*

Morgens aus den Federn zu kommen ist eine der lästigsten und schwierigsten Aufgaben, die der moderne Mensch zu bewältigen hat. Du liegst da, halbwach, verwirrt, nur teilweise bei Bewusstsein – und glotzt in dieses alte, absurde, irgendwie bedrohliche Universum, das gestern früh auch schon da war und das du trotzdem nicht verstehst. Der einzige Trost: Du liegst. Du bist in Sicherheit. Und du hast eine warme Decke um dich herum. Aber dann fällt dir ein, dass da draußen irgendetwas wartet. Etwas will erledigt werden. Uff! Und schon bist du, trotz aller inneren Widerstände, wie durch ein Wunder plötzlich in der Senkrechten. Kein Forscher hat bisher herausgekriegt, wieso das immer wieder klappt.

Aber an manchen Tagen – klappt es nicht. Du kommst mitten aus dem Tiefschlaf oder mitten aus einem Traum oder mitten aus irgendwas – jedenfalls fühlst du dich wie ein ausgeknockter Boxer und siehst auch so aus. Du merkst: Heute geht gar nichts. Es ist noch früh am Morgen und du kannst den Tag bereits komplett abschreiben. Also ruf bei der Arbeit an, melde dich krank, deponier deinen Laptop und die Kekse in Reichweite des Bettes, öffne niemandem die Tür und roll dich unter der Decke zusammen. Denn jetzt kannst du nur noch eines tun, und die deutsche Sprache bringt es genial auf den Punkt: *hedgehog yourself.*

There you look stupid out of the laundry
(Da guckst du dumm aus der Wäsche)

Mit ein wenig Talent kann man eigentlich in fast jeder Situation dämlich aussehen.

Genauer als »Ich denke, also bin ich« trifft das Drama des modernen Menschen wohl »Ich fettnapfe, darum bin ich«. Ich zum Beispiel war neulich, nachdem ich mir eigentlich nur ganz schnell ein Sixpack Bier geholt hatte, für fünf Stunden in meinem Windfang gefangen. Inklusive Pinkeln in eine leere Flasche, klaustrophobischen Anfällen und Gesprächen mit einem alten Fußball, dem ich den Namen »Wilson 2« gegeben hatte. Und dem Blick durchs Fenster auf meinen Wohnzimmertisch, wo der Hausschlüssel lag. Der einzige Trost beim Beichten dieser peinlichen Leistung ist: Ihr habt diese Geschichte so oder ähnlich auch schon erlebt.

Auch die simpelste und kleinste Aufgabe wie zum Beispiel »Vorn an der Ecke ein Sixpack Bier kaufen und danach zurück nach Hause gehen« wird irgendwo auf dieser Welt immer mal wieder auf jemanden treffen, der sich so dämlich anstellt, dass seine Mitmenschen bestreiten werden, zur selben Spezies zu gehören. Aber weniges kann so dramatisch schiefgehen wie das Wäschewaschen. Weshalb das Deutsche eine eigene Wendung bereithält für all die Pannen, die dabei passieren können, wie z.B. das Verfärben des Lieblings-Shirts deiner Freundin, das Einlaufen und Verfilzen des mit 60° gewaschenen Pullovers, das Vergessen oder Verwechseln oder Vermischen von Wäsche im Waschsalon, das Waschen von Geld, Portemonnaie oder Handy, einen Totalschaden an der Waschmaschine oder an dir – oder eine Kombination aus alldem. So dass du verstört aus der Waschküche oder dem Waschsalon stolperst – *looking stupid out of the laundry.*

You Lazy Sock *(Du faule Socke)*

Faulpelze haben kein sehr gutes Ansehen. In unserer rasend schnellen Welt des globalen Wettbewerbs, des Kapitalismus und des Konsums gibt es wenig Respekt für Menschen, die einfach nur dasitzen und das Wunder ihrer Existenz genießen wollen. Oder Taschenbillard spielen. Der deutsche Ausdruck *Lazy Sock* drückt immerhin eine gewisse Achtung für diese Lebenshaltung aus. Klar, du bist eine *Lazy Sock*, die nur auf dem Teppich rumliegt und nichts zum Bruttosozialprodukt oder zum Menschheitswohl beiträgt. Aber das heißt nicht, dass du eines Tages die Rechnung präsentiert bekommst und aus der Gesellschaft ausgestoßen wirst. Und warum? Weil Socken paarweise auftreten (jedenfalls meistens; siehe *There you look stupid out of the laundry*). Das bedeutet, dass es da draußen mindestens einen weiteren Menschen wie dich gibt – der gerne verschläft, ab und zu ein Nickerchen einlegt und sich zum Abendessen und zum Frühstück die Reste vom Mittagessen aufwärmt. Es gibt Hoffnung, lieber *Lazy-Sock*-Freund. Natürlich ist es statistisch extrem unwahrscheinlich, dass ihr beiden stinkfaulen Stubenhocker euch jemals begegnet – aber die Möglichkeit besteht.

Warm Showerer *(Warmduscher)*

Auf den ersten Blick erscheint es etwas merkwürdig, einen Feigling als »Warmduscher« zu bezeichnen, wie man es in Deutschland oft hört. Die große Mehrheit der Menschen, die die Wahl haben, scheinen die warme Dusche der kalten eindeutig vorzuziehen. Was bedeutet, dass man auch sich selbst, alle seine Freunde und Milliarden anderer Menschen beleidigt, wenn man »Warmduscher« als Synonym für »Weichei« verwendet.

Der Mensch als solcher sieht sich ja gerne als tapferen Helden, der Gipfel erklimmt, Ozeane durchquert und den Weltraum erobert. Man bringt ihn also schön wieder auf den Boden der Tatsachen, wenn man die Frage aufwirft, ob er sich einer plötzlichen Handvoll kalten Wassers gewachsen fühlt.

Kalt duschen ist gut für die Gesundheit und fürs Klima. Schon deshalb sollte das Konzept *Warm Showerer* umgehend ins Denglische aufgenommen werden. Es gibt so viele Mächte, die uns ängstlich und eingeschüchtert sehen wollen. Und mal ehrlich: Im Vergleich mit den Superhelden aus dem Kino und der Werbung sind wir auch oft echte Waschlappen, oder? Wie gut, dass es diese eine tägliche Mutprobe im deutschen Badezimmer gibt – die Herausforderung, einer von den Harten zu werden. Den Kaltduschern.

To not have all cups in the cupboard
(Nicht alle Tassen im Schrank haben)

Der deutsche Ordnungssinn verlangt es, dass Tassen in einem ordentlichen Tassenschrank stehen. Menschen, die man für nicht ganz dicht hält, unterstellt man deshalb gerne *to not having all cups in the cupboard*. Das ist ein sehr hübscher Ausdruck, den man problemlos in andere Sprachen übernehmen kann – zuvörderst ins Englische, das dafür sogar besser eingerichtet ist als das Deutsche, mit dem *cupboard* als natürlichem Aufenthaltsort der *cups*.

Aber stimmt das überhaupt mit dem natürlichen Aufenthaltsort? Wollen Tassen tatsächlich im Schrank stehen? Haben wir wirklich das Recht, sie dort einzusperren? Sicher: Sie sind dort gut aufgehoben, außer Gefahr und zudem in Gesellschaft ihrer Mit-Tassen. Aber sie sind auch abgeschnitten von der Welt – verurteilt zu einem Leben in Dunkelheit.

Ich glaube, dass Tassen sich viel lieber außerhalb des Schranks aufhalten. Dass sie, randvoll mit Sekt, an wilden Küchenpartys teilnehmen und von enthemmten Silberlöffeln bis in die Eingeweide durchgerührt werden wollen, dass sie hinaus in die Natur wollen zu fröhlichen Picknicks. Denn wer ist hier eigentlich der mit dem Sprung in der Schüssel? Wem vorgeworfen wird, er habe nicht alle Tassen im Schrank, nur weil er gerne fünfe gerade sein lässt, der sollte einfach antworten: »Schau mal, ein Normalo! Ziemlich unentspannt, oder? Ich wette, der hat seine *cups firmly in his cupboard.«*

Everything for the cat *(Alles für die Katz)*

Diese schöne, traditionsreiche Wendung scheint anzuerkennen, dass es tatsächlich die Katzen sind, die sich ihre Menschen als Haustiere halten, und nicht etwa umgekehrt. Aber die eigentliche Geschichte erzählt etwas anderes. Ein Hufschmied, der gute Arbeit leistete, pflegte es seinen Kunden zu überlassen, seinen Lohn zu bestimmen. Seine geschäftstüchtigen Kunden begannen daraufhin, ihn in »Dankeschöns« zu bezahlen. Also besorgte der Hufschmied sich eine Katze, die bei ihm in der Werkstatt saß. Als ihn das nächste Mal jemand in »Dankeschöns« bezahlte, erwiderte er: »Das ist für die Katz.«, und wies mit dramatischer Geste auf das hungrige Tier. Die Katze musste von Dankeschöns leben, weil ihr Meister kein Geld für Futter erhielt, und verhungerte langsam, was den geizigen Kunden anschaulich vor

Augen führte, wie gering der Nährwert eines Dankeschöns ist. Wenn es denn dieselben Kunden waren, die das tote Tier zu sehen bekamen. Wenn nicht, wurde einfach nur eine einwandfrei funktionierende Katze verschwendet.

Half the rent *(Halbe Miete)*

Erst nachdem meine Freundin und ich zusammengezogen waren, eröffnete sie mir, dass sie »nicht das Bad mache«. Sie trug das so entschlossen vor, dass sich jede Nachfrage verbat. Es wurde – ohne irgendeine Begründung oder Rechtfertigung – als Tatsache präsentiert und mit den Worten *»Ende der Diskussion«* verziert. Das sagt sie in der Regel, wenn sie nicht (mehr) diskutieren möchte. Infolgedessen putze ich bei uns das Bad. Natürlich selten und mit demonstrativem Widerwillen. Aber ich tu's immerhin. Ich geh rein, verspritze ein paar Minuten lang Wasser an verschiedene Stellen, ziehe Grimassen vor dem Spiegel, bis es meiner Meinung nach *already half the rent* ist. Dann komme ich raus – zufrieden. Sie geht rein und kommt schnell wieder raus – unzufrieden. »Das ist echt nur die halbe Miete«, sagt sie. »Super«, sage ich. »Was soll das heißen – super?!« – »Das heißt, dass ich meinen Teil getan habe. Ich zahl ja auch nur die halbe Miete.« – »Nein«, sagt sie, »da hast du was missverstanden: Der Ausdruck heißt je nachdem *only half the rent (nur die halbe Miete)* oder *already half the rent (schon die halbe Miete). Only half the rent* heißt: Wenn du klug bist, gehst du jetzt da rein und machst das ordentlich.« Darauf ich: »Sorry, ich mache keine halben Sachen.« Dann laufe ich schnell weg und verstecke mich im Kleiderschrank. Ende der Diskussion.

My Dear Mister Singing Club's School of Denglisch: Compounding is not Frankensteining

Schadenfreude ist nicht nur das international vermutlich bekannteste deutsche Kompositum – es beschreibt auch am treffendsten, was ein Deutscher fühlt, wenn er begreift, dass das Zusammensetzen von Wörtern in anderen Sprachen nicht möglich ist. *Compounding* ist weit mehr als das bloße *Frankensteining* von Wörtern. Ein zusammengesetztes Wort ist mehr als die Summe seiner Teile; es schafft etwas eigenständiges Neues. Ein klassischer Fall von 2 + 2 = 5.

Komposita entstehen durch das beherzte Zusammensetzen der Legosteine, aus denen der deutsche Wortschatz besteht. Das Ergebnis sitzt dann gerne unförmig in der Mitte des Satzes und blockiert wie ein ausgewachsener Kampfhund den Zugang zum Verb. Auch hat man die seltene Möglichkeit, dreimal denselben Vokal aufeinanderfolgen zu lassen. Habe ich schon meine furchtlose *Stammmutter* erwähnt? Wenn Sie das *Zooorchester* von Bagdad dirigierte, trug sie stets eine *schusssichere* Weste.

Aber zurück zur *Schadenfreude.* Das Oxford English Dictionary nahm das Wort 1982 auf und definierte es als *»malicious enjoyment at the misfortunes of others«.* Im Englischen braucht es also 6 Wörter mit 14 Silben bzw. 48 Zeichen, um die Bedeutung des viersilbigen, wunderbar präzisen Kompositums *Schadenfreude* wiederzugeben.

Da das Englische keine Wörter zusammensetzen kann, schmeißen wir in der Regel einfach einen Haufen Wörter auf den Tisch und hoffen, dass zumindest eines passt. Nehmen wir das Wort *Schreibtischtäter*. *Schreib (write)* + *Tisch (table)* + *Täter (criminal)* = *Desk Criminal*. Schwer zu vermitteln im Englischen. *White Collar Criminal? Desk Dictator?* Um das Problem zu lösen, nennen wir sie meist *Politicians*.

Hier einige meiner Lieblings-Komposita – und die denglische Übersetzung:
  Backpfeifengesicht – *slapface*
  Leistungsfähigkeitsverstärkung – *achievementcapacitystrengthening*
  Vergangenheitsbewältigung – *historical conciliation*
  Schattenparker – *shadeparker*
  Zusammengehörigkeitsgefühl – *togetherbelongingsfeeling*
  Lebensabschnittsgefährte – *lifephasepartner*
  Brustwarzenvorhof – *breastwartfrontcourtyard*

Klar, das Englische findet Lösungen für all das – aber es muss den Bus nehmen, wo das Deutsche per ICE fährt. Mehr Wörter bedeuten auch mehr Missverständnisse. In der Kürze liegt nicht nur die Würze, sondern auch die Herausforderung. »Entschuldigen Sie, dass ich Ihnen einen langen Brief schreibe, für einen kurzen habe ich keine Zeit.« Dieses Zitat wird abwechselnd Pascal, Voltaire, Mark Twain, Karl Marx und Goethe zugeschrieben. Im Notfall hätte ein Deutscher den Brief sicherlich in ein monströses, vier Seiten langes Wort verwandeln können – inklusive Figurenentwicklung und überraschenden Wendungen der Handlung.

Natürlich werden die Smart Shitter unter euch jetzt darauf

hinweisen, dass man auch im Englischen Komposita bilden kann. *Stop day|dreaming every|body! Don't for|get, many English words have such a partner|ship, master|pieces you use every|day, but the back|grounds of which we for|get.*

Ganz okay für den Anfang – aber wir sind immer gebunden an die Konvention und an den Willen unserer Wörterbuch-Päpste – wie Kinder, die immer nur Vorlagen ausmalen sollen statt frei draufloszukritzeln. Selbst neue Wörter zusammenbauen dürfen wir leider nicht. Wobei: Klar, dürfen wir. Aber niemand wird uns und unsere Sprache für unseren Einfallsreichtum preisen. Man wird uns misstrauisch beäugen und nach dem Mann mit dem weißen Kittel rufen. Soll er sich doch um unsere *repressedcompoundenvy* wegen unserer *complexvisualsentencewordplayconstructionability* kümmern.

Denglisch with Others

Meaning nothing for ungood with lovers, friends and family

Beziehungen zwischen Menschen, die aus unterschiedlichen Kulturen stammen und verschiedene Sprachen sprechen, haben immer etwas von einem Puzzle, dessen Verpackung verlorengegangen ist. Keiner weiß, was eigentlich bei dem Gebastel rauskommen soll. Das hilflose Rumprobieren und die Suche nach den Eck- und Randstücken als gemeinsamer Basis ist eine wunderbare Quelle unfreiwilliger Komik und interkultureller Missverständnisse. Passt nicht? Probier mal andersrum. Passt? Nee, immer noch nicht. Vielleicht hier oben? Nee, auch nicht. Mein Fehler. *Nothing for ungood.*

Mit jeder verreckten Pointe, mit jedem Spruch, der erklärt werden muss, mit jeder Indie-Band aus den 90ern und jedem drittklassigen Schauspieler, die gegoogelt werden müssen, guckt dein Gegenüber mehr wie ein Schwein ins Uhrwerk.

»Moment! Wie, du hast ›Charlie und die Schokoladen-fabrik‹ nicht gesehen?! Alles – auf – Stop! Ich kann keine Sekunde länger mit jemandem zusammenleben, der nicht weiß, was ein Oompa Loompa ist. *Oompa Loompa do-ba-dee-dee, if you are wise you'll listen to me …* Wir müssen das so-fort *downloaden*!«

Das Schöne an solchen Beziehungen ist, dass man sich an-dauernd gegenseitig den Spiegel der jeweils eigenen Kultur vor die Nase hält. Da kann das schlichte Missverstehen eines

einzigen Worts die gesamte Unterhaltung dermaßen entglei-
sen lassen, dass sich am Ende zwei Erwachsene keifend und
beißend vor dem Kühlregal im Supermarkt auf dem Boden
wälzen.

»*So ein Mist!*«

»*What have you missed? The bus doesn't leave for ages yet.*«

»*No, Mist!*«

»*But it's sunny. There's no mist. Are you seeing things again? I
keep telling you, you need glasses.*«

»*Shut up! Mensch. Wirklich! Du gehst mir so auf den Keks.*«

»*Cookies? What's with cookies? Probably a bit ›misty‹ for cookies.*«

»*I'm going to hit you now and I consider that perfectly justified.*«

Auch ein simpler Ausdruck, den du schon tausendmal benutzt hast und über dessen Ursprung und wörtliche Bedeutung du dir nie auch nur den Schimmer eines Gedankens
gemacht hast, kann unter dem kalten, sezierenden Blick
eines Ausländers echtes Potential entfalten:

»Komm, entspann dich, nichts wird so heiß gegessen, wie
es gekocht wird.«

»Du kochst? Wie super! Ich hab echt Hunger!«

»Nein, du Dumpfbacke. Hast du diesen Ausdruck noch
nie gehört? Was waren deine Lehrer eigentlich von Beruf?
Vielleicht hätte ein echtes Studium geholfen, Mr. Bachelor in
Irgendwas-mit-Medien!«

Denglisch kann helfen. Es baut die sprachlichen Brücken
für die interkulturelle Verständigung, indem es das Fremde
in vertrautem Gewand präsentiert.

Birding *(Vögeln)*

Manche glauben, dass die Menschen das Küssen entdeckten, indem sie Vögel beim Füttern ihrer Jungen beobachteten. Während prüdere Nationen danach betreten wegschauten, sahen die Deutschen noch etwas genauer hin, was sich da in den Nestern abspielte. So entstand der Ausdruck *vögeln*, oder in Denglisch: *birding*. Die Frage bleibt, wer denn bloß zuerst auf die Idee kam, den menschlichen Liebesakt mit diesem Wort zu verknüpfen und welche Parallelen er oder sie zwischen dem Geschehen im Schlafzimmer und dem Treiben unserer gefiederten Freunde entdeckte. Vermutlich war es der bedauernswerte Bettgenosse eines Menschen, der dermaßen heftig herumflatterte, dass die Daunen flogen. Bedenke stets: Wenn deine Arme beim Sex die Lampe vom Nachttisch fegen und die Vorhänge runterreißen, könntest du den anderen mit deiner Flugshow überfordern. Und wenn du das zu oft machst, wird dein *Birding*-Partner sich wohl ein anderes Liebesnest suchen.

Strange Walk and Side Jump
(Fremdgehen und Seitensprung)

Seit es Autos, Flugzeuge und das Internet gibt, scheint die Vorstellung von d e m e i n e n Partner fürs Leben ein wenig überholt. Schließlich können wir mittlerweile Millionen von Menschen begegnen, sie kennenlernen und möglicherweise auch heiraten. Wir müssen uns nicht mehr mit dem am wenigsten langweiligen Nachbarn / Kollegen / Cousin begnügen. Wir müssen nicht mal mehr heiraten. Wir können uns heute einen *lifephasepartner* suchen und so lange mit ihm oder ihr zusammenbleiben, bis wir die Nase voll haben, abhauen, und eine Strandbar in Costa Rica eröffnen.

Wir können – aber die ungeschriebenen Gesetze der Partnerschaft halten uns doch zurück. Da aber die Gesetze der Physik und der Physis uns ebenso stark locken, sind wir im ständigen Zwiespalt. Und brauchen neue Begriffe für die populäre Lösung, sich sowohl für das Altbekannte als auch für die vielen Chancen zu entscheiden. Was nur mit enormer Beweglichkeit geht – mit *Strange Walk* und *Side Jump*.

Emergency horny *(Notgeil)*

Der Trieb, sich fortzupflanzen, ist ein ganz anderer als die übrigen grundlegenden Regungen des Menschen wie Hunger, Müdigkeit und Durst. Die Lust auf Sex meldet sich nicht – wie die auf Frühstück, nächtlichen Schlaf oder Wasser – in relativ regelmäßigen Abständen.

Sie ist vielmehr launisch und: immer dringlich. Sie überfällt uns plötzlich wie ein Wirbelsturm, infolge eines erfreulichen Anblicks oder auch schlicht einer guten Gelegenheit. Sie bringt uns in eine unmittelbare Bedrängnis, die der sofortigen Abhilfe bedarf. GENAU JETZT! Das neue Denglisch-Adjektiv *emergency horny* benennt diese Dringlichkeit perfekt.

You grin like a honeycakehorse
(Du grinst wie ein Honigkuchenpferd)

Wenn ich dich fragte, welches deine sechs absoluten Lieblingsdinge sind – bin ich recht sicher, dass du antworten würdest: Lächeln, Kuchenglasur, Essen, Honig, Backwaren und Pferde. Ich bin nicht der Einzige, der genau diese sechs erwarten würde. Die Deutschen sind sich dieser sechs so sicher, dass sie viel Mühe darauf verwandt haben, sie alle zusammenzubringen. Jenga für Fortgeschrittene.

Die Sache war anfangs echt schwierig. In der Frühphase gab es Experimente mit lebendigen glasierten Pferden, die jedoch scheiterten (und zugleich einen Tiefpunkt in den Mensch-Pferd-Beziehungen markierten). Aber man weiß ja vom Fußball, dass die Deutschen niemals aufgeben. Sie zogen die Sache weiter durch, bis sie tatsächlich ein grinsendes, glasiertes, essbares, honiggefülltes, gebackenes, pferdeförmiges Ding erschaffen hatten: *honeycakehorse*. Das Ergebnis allen menschlichen Strebens war am Ende klein genug, um in die Hosentasche zu passen. Es wurde so populär, dass man bis heute über jeden, der sich unbändig über etwas freut, zu sagen pflegt: *He is grinning like a honeycakehorse.*

You have no idea of tooting and blowing
(Du hast von Tuten und Blasen keine Ahnung)

In Zeiten des Internets ist alles immer nur einen Klick entfernt. Wie jeder, der viel Zeit im Netz verbringt und dort Meinungen sammelt, um sie als eigene auszugeben, vergesse auch ich bisweilen, dass ich ein Dilettant bin und dass Anschauen nicht gleich Selberkönnen ist. Die meisten Deutschen tragen dieses Bewusstsein tief in sich. Das verdanken sie dem stabilen, soliden Rückgrat ihrer Volkswirtschaft, dem *Mittelstand*. Gut funktionierende, seriöse, familiengeführte Firmen stellen Dinge her. Gute Dinge. Es heißt schließlich »*Made in Germany*« und nicht »*Watched Being Made in Germany*«. Der neue Denglisch-Ausdruck soll auch den Rest der Welt daran erinnern, dass man so viele Videos der weltbesten Saxophonisten und Trompeter anschauen kann, wie man will – man hat trotzdem *no idea of tooting and blowing*.

I laugh me dead *(Ich lach mich tot)*

Selbst die Tatsache, dass Lachen nicht nur Spaß macht, sondern auch massenweise gesundheitsfördernde Hormone freisetzt, hält die Deutschen nicht davon ab, Angst davor zu haben. Genauer: Angst davor, so viel zu lachen, dass sie STERBEN. Umfahren wir die nichtexistenten Forschungsergebnisse hierzu weiträumig und konzentrieren uns auf das typisch Deutsche an dieser Angst: Das Leben ist eine ernste Angelegenheit und muss mit demselben Respekt behandelt werden wie eine teure chinesische Vase. Heiterkeit und Humor werden dieser heiklen Aufgabe nicht gerecht.

Ausländer nehmen die Sache in der Regel zu wenig ernst – zum Beispiel, wenn sie Post von der deutschen Regierung oder von der GEMA bekommen. In fröhlich pfeifender Sorglosigkeit denken sie, dass ihr Exoten-Charme und der »Ich-bin-doch-eigentlich-nur-ein-Tourist«-Bonus sie schon raushauen. Klappt aber nicht. Sie unterschätzen den Ernst der Lage und albern rum. Wenn du so jemanden vor dir hast, musst du seine Witzeleien mit einem todernsten »*I laugh me dead*« kontern. Sag es langsam. Betone jede Silbe. Schau ihm starr in die Augen und mach ihm klar, wie total unlustig du ihn gerade findest. Vielleicht kannst du ihm so das Leben retten.

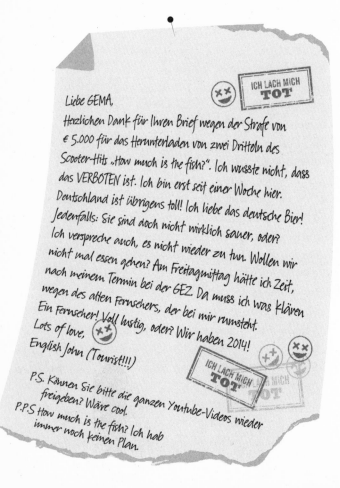

Liebe GEMA,

Herzlichen Dank für Ihren Brief wegen der Strafe von € 5.000 für das Herunterladen von zwei Dritteln des Scooter-Hits „How much is the fish?". Ich wusste nicht, dass das VERBOTEN ist. Ich bin erst seit einer Woche hier. Deutschland ist übrigens toll! Ich liebe das deutsche Bier! Jedenfalls: Sie sind doch nicht wirklich sauer, oder? Ich verspreche auch, es nicht wieder zu tun. Wollen wir nicht mal essen gehen? Am Freitagmittag hätte ich Zeit, nach meinem Termin bei der GEZ. Da muss ich was klären wegen des alten Fernsehers, der bei mir rumsteht. Ein Fernseher! Voll lustig, oder? Wir haben 2014!
Lots of love,
English John (Tourist!!!)

P.S. Können Sie bitte die ganzen Youtube-Videos wieder freigeben? Wäre cool.
P.P.S How much is the fish? Ich hab immer noch keinen Plan.

ICH LACH MICH TOT

If my grandmother had wheels, she'd be an omnibus *(Wenn meine Großmutter Räder hätte, wäre sie ein Omnibus)*

Wenn jemand einen bescheuerten Vorschlag macht, kann man ihm im Englischen mit »Ja, klar, und wenn meine Tante Eier hätte, wäre sie mein Onkel.« antworten. Das ist respektlos und lustig. Also nahezu perfekt, um auf einen bekloppten Vorschlag zu antworten. Denn auf Unsinn antwortet man nicht mit Argumenten, sondern mit noch mehr Unsinn. Einem Kreationisten zeigst du keine Fossilien, sondern bestätigst ihm, dass die Arche damals in Archentinien angelegt hat. Gegenvorschläge müssen also noch dämlicher sein als das Original, um klarzumachen, dass die gesamte Konversation sich längst nach Idiotistan verabschiedet hat. Deshalb könntest du den Denglisch-Ausdruck »*If my grandmother had wheels, she'd be an omnibus*« testen. Blick dein Gegenüber fest an. Am wirkungsvollsten ist der Satz, wenn dabei beide Augen in verschiedene Richtungen schauen.

P.S. Einige jüngere deutsche Leser werden sich ratlos am Kopf kratzen, weil sie den Ausdruck gar nicht mehr kennen. Tja – hier können alle noch was lernen. Es ist ein Klassiker, der in den vergangenen Jahren ein wenig zu kurz gekommen ist. Aber er ist es wert, erhalten zu bleiben und vor der Streichung aus dem Großen Duden des Herrn bewahrt zu werden.

NÄCHSTER HALT: **PARKBANK!**

Michael

♥ hat seinen Beziehungsstatus geändert in „Es ist kompliziert"

> **Tolga**
> Equal goes it loose!

> **Annett**
> I don't trust that roastbeef

Michael

♥ ist jetzt in einer Beziehung mit
Scarlett Johansson

24 Freunden gefällt das

> **Stefanie**
> Overmonkeyhorny! Luckwish!

> **Annett**
> Really? Or are you trying to sell me for stupid?

> **Linn**
> My dear Mr Singing Club! Really well made.

> **Tolga**
> Well, well, well, now you've come in the devil's kitchen.

> **Manuel**
> Very big cinema!

Michael

♥ ist wieder „Single"

> **Annett**
> Yeah well, with you was never good cherry eating

> **Linn**
> Nonsense with sauce!

> **Manuel**
> Holla the forestfairy :(

My Dear Mister Singing Club's School of Denglisch: Trennbare Verben and The Great Verb Delay

Wenn man einem Deutschen zuhört, wird es nie langweilig. Man fühlt sich wie in einem »Whodunit«-Krimi: Das Setting steht, die Figuren sind entwickelt, die Leiche liegt da – aber was genau passiert ist und wer der Mörder ist, erfährt man erst durch die überraschende Wendung ganz am Ende. Wenn das entscheidende Verb kommt.

Der Spannungsaufbau eines deutschen Satzes funktioniert mit zwei Mechanismen. Der erste sind die *trennbaren Verben*. Deutschen ist oft gar nicht bewusst, was das ist und dass die Dinger so heißen. Also, ihr Deutschen: *Trennbare Verben* sind wie Paare, die sich schon hundertmal fast getrennt haben, weil sie weder mit- noch ohne einander können. Deshalb ziehen sie sich in die entferntesten Winkel der Wohnung zurück, um Abstand zu gewinnen. Sie gehören zusammen, aber sie brauchen ihren Freiraum.

Das Tolle an den *trennbaren Verben* ist, wie viel Power du in eine winzige Vorsilbe packen kannst. Es ist so, als wenn du deinem Haus ein einfaches, kleines Zimmerchen hinzufügen willst – und plötzlich merkst, dass du jetzt eine teure, geräumige Stadtvilla besitzt. Nur durch das Ankleben einiger Buchstaben vorne an ein Verb. Es grenzt an Zauberei.

So kannst du deinen Zuhörern zum Beispiel das Wort

stimmen hinwerfen – und dann das Präfix bis zum Ende für dich behalten. Sie wissen, dass es um dich und um einen farbenblinden Elefanten geht – aber bis zum großen Präfix-Finale wissen sie nicht, ob du über etwas abgestimmt, jemanden umgestimmt, einer Sache zugestimmt oder ein Lied angestimmt hast. Oder über den Elefanten verstimmt warst.

Der zweite Mechanismus des Spannungsaufbaus besteht darin, dass das Partizip eines deutschen Satzes oft an dessen Ende steht, was denselben Suspense-Effekt hat wie das *trennbare Verb*: Du musst aufmerksam bleiben bis zum Ende. Du kannst nicht abschalten – selbst wenn die ersten Wörter des Satzes neben dem Hilfsverb bereits (fast) alle wichtigen Informationen enthielten und jetzt drei Zeilen ermüdende Zimmereinrichtungsbeschreibung folgen. Erst ganz am Ende weißt du, ob der Erzähler das Zimmer gemietet, renoviert oder angezündet hat.

Aber das sind ja noch die besseren Fälle. Wenn es blöd lief, habe ich früher am Ende eines langen, komplizierten Satzes, der sich mit mehreren Nebensätzen dahinschleppte, so dass ganz in Vergessenheit geriet, wie er eigentlich angefangen hatte und worum es ging – man fühlte sich an einen vertrottelten alten Mann erinnert – oft das entscheidende, erlösende Verb. Dann starrten mich alle an; ich fragte mich, wieso; dann erschrak ich und stieß ein einsames »verkauft!« oder »vergessen!« aus und hoffte, dass es irgendwie passte.

Die Deutschen müssen echt höllenmäßig gute Gedächtnisse haben.

Denglisch for Fun

Life is a Sugarlicking!

Ein Klischee über die Deutschen lautet, sie seien Spaßbremsen. Aber das ist nicht wahr. Ganz im Gegenteil: Sie sind sogar besser als andere, wenn es darum geht, den genauen Zeitpunkt und Ort sowie die Dauer eines Spaßes lange im Voraus zu planen.

Als ich meine erste Wohnung in Deutschland gefunden hatte, schmiss ich natürlich eine Einweihungsparty. Da ich sowieso den ganzen Tag zu Hause sein würde, nannte ich in der Einladung keine bestimmte Uhrzeit. Um zu zeigen, wie locker ich drauf war, schrieb ich lustiger, verrückter, unkonventioneller *Foreigner* einfach nur *Whenever o' clock*.

Schwerer Fehler! Falscher Scherz, falsches Publikum.

Die Frühaufsteher waren sich nicht sicher, ob 20 Uhr zu aufdringlich wirken würde. Die Nachteulen fragten sich, ob ein Auftauchen um Mitternacht als Desinteresse gedeutet würde. Es war ein Alptraum für meine deutschen Bekannten – welches war die korrekte Uhrzeit, die das richtige Maß an Interesse zeigte?

Es machten sich Verwirrung und Sorge breit. Hektische Telefonate wurden geführt. Mancher las meine Einladung immer und immer wieder und lachte dabei hysterisch. Mit detektivischem Spürsinn versuchten einige herauszufinden, wann ihre Bekannten kommen würden.

Am Abend der Einweihungsparty selbst, als der Zeitpunkt näher rückte, an dem Partys üblicherweise beginnen, häuften sich die beiläufig klingenden SMS und Anrufe der Marke »War echt ein guter Witz … gefiel mir … aber jetzt mal im Ernst: Um wie viel Uhr geht's denn nun los?«

»Wann immer ihr wollt«, antwortete ich beharrlich.

»Ja, echt witzig … gefällt mir … aber jetzt mal im Ernst: Um wie viel Uhr geht's denn nun los?«

»Arrrgh! Okay: Jetzt!«

»Wie super! Wir stehen zufällig vor der Tür.«

Let's make party! *(Party machen)*

Hello together,

letzte Woche hab ich euch eingeladen und gesagt, dass jeder kommen kann, wann er will. Ich weiß jetzt, dass das nicht der einzige Fehler war, den ich gemacht habe. Kein Wunder, dass die Party nicht so gelaufen ist, wie ich, euer minderwertiger ausländischer Gastgeber, es mir vorgestellt hatte. Ich wollte einfach eine Party haben. Eine Party schmeißen. Euch einladen, drei Eimer Kartoffelsalat kaufen, Badewanne mit Bier füllen, Musik auflegen – und los. Aber in Deutschland kann man keine Party haben im Sinne von »besitzen«. Man kann sie auch nicht besuchen. Und man kann sie auch nicht alleine schmeißen. Man muss sie machen. Und zwar gemeinsam. Die deutsche Sprache hat ganz recht: Eine Party funktioniert nicht als Top-Down-Veranstaltung eines vergnügungssüchtigen Schönwetter-Diktators, sondern nur als basisdemokratische Veranstaltung der begeisterten, unermüdlichen Massen, die die Verantwortung und den Lohn fair teilen. Wir, alle zusammen, *make a party*.

Mood Cannon *(Stimmungskanone)*

Im Fußball sagt man gern, der Schiedsrichter sei dann gut gewesen, wenn man ihn nicht bemerkt habe. Es spricht vieles für solche Menschen, die ruhig im Hintergrund wirken, einfach ihren Job machen und keinen großen Applaus erwarten. Eine Berufsgruppe allerdings dürfte das Schiedsrichter-Kompliment und seine Botschaft weder kennen noch verstehen: Hochzeits-DJs. Diese Annahme fand ich kürzlich erneut bestätigt, als ich zu meiner ersten deutschen Hochzeit eingeladen war, in einer komplett unbedeutenden deutschen Kleinstadt. Zu Beginn breitete der DJ ein gigantisches Banner über der Tanzfläche aus, das seinen Namen und die URL seiner Homepage zeigte. Es glich mehr einer Champions-League-Zeremonie als der zu groß geratenen Visitenkarte eines örtlichen DJs.

Dass sein Job eigentlich nur darin bestand, zwei Boxen zu besitzen und ab und zu »Play« auf einer Playlist anzuklicken, kümmerte ihn wenig. Er griff sich erst mal das Mikrofon und stahl dem Brautpaar die Schau, indem er ununterbrochen überflüssige Sätze brüllte wie »Sieht sie nicht umwerfend aus?«, »Uuuuuuuuund hiiiiiiiiiiier kommt das glückliche Paaaaaaaaar!«, »An diesem ganz besonderen Tag« oder »Das Buffet ist eröffnet«.

Als es später am Abend gerade gemütlich zu werden drohte, ordnete er plötzlich absolute Ruhe im Saal an – er habe eine Überraschung für uns. Dann tobte er 10 Minuten lang durch den Raum, um irgendwelche Spots zu justieren, das Licht zu dimmen und umständlichst sein fußballfeldgroßes Banner einzurollen. Es folgte ein dramatischer Countdown, an dessen Ende er mit großer Geste circa 62 Knöpfe an seinem Pult drückte und eine absurde Lichtshow startete, die in einer Trockeneisnebelorgie kulminierte. Das war seine Art, uns zu sagen, dass die Tanzfläche jetzt eröffnet sei.

Der Gast neben mir, der schon seit Stunden zunehmend genervt vom DJ war, warf ihm daraufhin, in einem wunderbaren Moment deutscher Ironie, den trockenen Satz hin: »Du bist ja 'ne echte Stimmungskanone.« Und begann langsam zu applaudieren. Besser, knapper und sarkastischer konnte man es nicht ausdrücken: eine *Mood Cannon*.

Here is dead trousers *(Hier ist tote Hose)*

Die meisten Sprachen charakterisieren eine gelungene Party, indem sie ihr bescheinigen: *it has life*. Ihr wisst schon: Die Klamotten fliegen überall rum, jeder knutscht mit jedem und alles trinkt Champagner. Partys, bei denen diese Merkmale weder vorhanden sind noch drohen, brauchen qualifizierte Hilfe vom Partydoktor. Der hat die Kompetenz, der Party den Puls zu fühlen, die Uhrzeit zu verifizieren und zu verkünden, dass jedes Bemühen um Wiederbelebung zwecklos sei. Perfekt dafür eignet sich der Denglisch-Ausdruck *Here is dead trousers*.

Dieser Ausdruck dient in seinem Ursprung ganz offensichtlich dazu, Männer mit erektiler Dysfunktion zu be-

zeichnen – wobei er die Beinkleider in wirklich unverant-
wortlicher Weise zum Hauptproblem erklärt.

Fun Bird *(Spaßvogel)*

Funbirds sind das Lebenselixier jeder vernünftigen Party. Die
Typen, die gegen 23 Uhr auftauchen, mit einer Flasche Jäger-
meister, einer kubanischen Zigarre, den derbsten Sprüchen
und vier Leuten, die sie gerade in der U-Bahn aufgelesen
haben. Die Ersten und die Letzten auf der Tanzfläche.

Wie immer beim Vögel-Beobachten kriegt man manche
Exemplare leichter vor die Linse als andere. Es gibt die

prächtigen Pfauen und die kleinen, flinken, frechen Spatzen. Erstere haben die Unterhosen über der Hose und einen Schlips um den Kopf gewickelt, tragen irrsinnig bunte, leicht schräg sitzende Hüte. Das sind die Leute, die sich selbst als Riesenspaßvögel definieren und es dir, nur für den Notfall, auch durch ihr Outfit zu verstehen geben. Andere *Fun Birds* sind viel subtiler – sie hocken still in einer Ecke und fordern ihre Freunde flüsternd auf, ihr großes Bier nicht zu trinken, sondern es ausschließlich mit Hilfe eines Teelöffels zu sich zu nehmen. In unter einer Minute.

Wo *Fun Birds* unterwegs sind, ist die Hose niemals tot. Sondern immer kurz vorm Platzen.

Fun Brake *(Spaßbremse)*

Die *Fun Brake* ist ein wenig geschätzter, aber elementarer Bestandteil jeder guten Party – so wie die Bremse ein elementares Teil jedes guten Autos ist. Wer denkt, man müsse einfach nur mit Vollgas in die Party brettern und den ganzen Abend auf dem Gaspedal stehenbleiben, der verkennt, wie solche ungebremsten Partys normalerweise enden: mit einem Crash am nächsten Baum, dem Absturz über die Klippe oder, wie in *Blues Brothers*, dem Hinausschießen über die Absperrung der unfertigen Autobahnbrücke.

Fun Brakes sind die eigentlichen Garanten und Stabilisatoren jeder Party. Stille, ernsthafte Helden. Das ABS-System, das die *Fun Birds* in der Spur hält. Spaßbremsen begrüßen die Gäste, kaufen Klopapier ein, stellen Leute einander vor, sorgen für Eiswürfelnachschub, stellen den Wasserhahn im Bad wieder ab, den irgendein Idiot voll aufgedreht hat, und hindern betrunkene *Fun Birds* daran, vom Balkon zu springen oder aufs Dach zu klettern. Am meisten in ihrem Element sind *Fun Brakes* zum Ende der Party – wenn Taxis gerufen, besoffene *Fun Birds* ins Bett gebracht werden, Nachbarn beschwichtigt, Brände gelöscht und Polizisten mit Erklärungen versorgt werden müssen.

Head Cinema *(Kopfkino)*

Head Cinema ist ein wunderbarer Ausdruck, der dem Englischen echt fehlt. Für die Momente, in denen du dich schlaflos im Bett wälzt, deine Gedanken gekidnappt werden und du an die Decke starrst – wo du Filme zu sehen kriegst, für die du niemals Eintritt bezahlen würdest. Filme mit Titeln wie »Weißt-du-noch-die-Sportstunde-in-der-Sechsten, als-du-die-Hose-verloren-hast?« oder »Scheiße, die Steuererklärung 4« oder »Meine-Frau-lacht-am-Telefon-immer-so-gurrend-wenn-dieser-Alan-aus-dem-Büro-anruft, oder?«. Immerhin: Du spielst in all diesen Filmen mit. Leider nicht als der Superheld, der allen Schurken trotzt und am Ende in einer großen Bollywood-Tanzszene mit 250 weißen Tauben dafür gefeiert

wird, dass alle Waisenkinder gerettet wurden. Nein, das ist leider nicht deine Rolle. Du spielst den Typen, der im Hintergrund SMS-schreibend die Straße überquert und vom Bus überfahren wird.

Very big cinema *(Ganz großes Kino)*

Du kennst das: Es ist Samstagmorgen. Du hast Hunger und fährst schnell los, um Milch zu holen, wobei du überraschend in eine Verfolgungsjagd à la *Cobra 11* verwickelt wirst. Als du für die Milch bezahlen willst, löst deine EC-Karte einen weltweiten Bankencrash inklusive diverser Manager-Selbstmorde aus. Beim Verlassen des Ladens begegnet dein Blick dem eines anderen Kunden, wodurch eine unkontrollierte, wahnsinnige, endlose Liebesgeschichte ihren Lauf nimmt. Das ist alles sehr lästig und peinlich – schließlich wolltest du dir einfach nur ein Müsli machen. Warum passiert so etwas immer dir? Warum verwickelt das Leben dich in die Angelegenheiten und maßlosen Übertreibungen anderer Menschen, die weit weniger vernünftig sind als du? Von Menschen, die in der Lage sind, aus einem klitzekleinen Problem eine dramatische Trilogie im Stile des *Herrn der Ringe* zu machen, mit dir als Frodo.

Der Denglisch-Ausdruck *very big cinema*, vorgetragen in nonchalant-ironischem Ton, erinnert solche Menschen daran, dass sie nicht das Recht haben, einen Elefanten zwischen dich und dein Müsli zu stellen, nur weil sie fähig sind, aus jeder Mücke einen solchen zu machen.

Hand Shoes *(Handschuhe)*

Ich bin mir sicher: Jeder, der Deutsch lernt, erlebt einen Moment süßester Poesie, wenn er erfährt, dass die Deutschen »gloves« mit dem Wort »Handschuhe« *(Hand Shoes)* bezeichnen. Für mich jedenfalls war es ein Highlight. Ehrlich gesagt, trage ich seit diesem Moment praktisch täglich Handschuhe – nur um das Gespräch darauf lenken zu können. *Handschuhe. Hand Shoes.* Wundervoll! Es klingt, als entführe jemand die englische Sprache zu einem Picknick, spiele ihr ein Lied auf der Ukulele vor und biete ihr selbstgebackenen Kuchen an. Ein Traum! Sprache als Disney-Szene.

An dieser Stelle würde ich normalerweise meine Landsleute davon zu überzeugen versuchen, dass das Englische ein echtes Defizit hat, weil ihm das Wort *Hand Shoe* fehlt. Aber dem ist nicht so. *Glove* ist ein tadelloses Wort – und zudem Bestandteil einiger feiner Redewendungen, die ich nicht missen möchte, wie z. B. *to rule with a velvet glove* (= Samthandschuhe tragen; böse Absichten tarnen).

Hier geht es um etwas anderes. Als ich sieben war, wünschte ich mir nichts so sehr wie ein Pony. Brauchte ich ein Pony? Natürlich nicht. Spielte das eine Rolle? Tat es nicht. Nicht alle Wünsche sind vernünftig. Jetzt bin ich erwachsen und wünsche mir, dass meine Muttersprache das Wort *Hand Shoes* einbürgert. Sie würden dem Englischen passen wie angegossen. Also erfüllt meine Forderung – oder ihr lernt meine bloßen Fäuste kennen.

Denglisch Travels

Leaving the Church in the Village

Die Deutschen sind phantastische Reisende. Im Jahr 2002 ermittelte das Reiseportal *Expedia* in einer weltweiten Umfrage, dass die Deutschen die meistgeschätzten Touristen der Welt seien. Das könnte natürlich auch damit zu tun haben, dass den Deutschen der Servicegedanke im Alltag dermaßen fremd ist, dass sie im Urlaub angesichts der lächelnden Freundlichkeit ihrer Gastländer dahinschmelzen und sich selbst von ihrer besten Seite zeigen.

Es stimmt allerdings auch, dass die Deutschen sich ihrem Urlaubsland fast so geschmeidig anpassen, wie Buchhalter mit Zwangsstörungen einem Zentrum für vegan lebende Reggae-Trommler mit eigener Hanfplantage. Aber das muss nicht schlecht sein – immerhin bleiben ihre positiven Eigenschaften dann sichtbar. So beherrschen sie deine Muttersprache in der Regel besser als du selbst – und sie sind sich auch nicht zu fein, deine Grammatik zu verbessern, um dir das zu zeigen. Sie sind immer eine Viertelstunde vor der vereinbarten Zeit da und stehen exakt an dem Punkt, an dem ihr euch treffen wolltet. Wenn ihr euch in einem Lokal verabredet habt, warten sie davor, wie ein guter Gastgeber, der einen ordentlich begrüßen und die Mühe ersparen will, sich drinnen zu finden.

Sie werden im Zuge der Planung des *Project Holiday* bereits alle Nuancen deiner Kultur studiert haben und genau wissen, was man sagt und was nicht. Du hast keine unpassenden Scherze zu befürchten. Außer natürlich, deine Kultur verehrt unpassende Scherze wie nichts sonst. Dann werden die Deutschen in den letzten drei Monaten die übelsten Deine-Mutter-Sprüche eingeübt haben – einfach als charmantes Zeichen des Respekts für dich und dein Land.

You're on the woodway *(Du bist auf dem Holzweg)*

Einst, im Mittelalter, gab es breite Pfade durch die riesigen Wälder, so dass Reisende und ihre Pferde vorankamen, ohne dauernd Äste ins Gesicht zu kriegen. Das Leben war so einfach damals: kein Ast im Gesicht = richtiger Weg. Alles klar. Aber dann kamen die Holzfäller. Mit Äxten und Gewinnsucht. Sie begannen, abseits des Pfades Bäume zu fällen und gegen Stullen oder etwas Hartgeld zu tauschen.

Die armen Reisenden und ihre Pferde standen an den Lücken im Wald und dachten, sie befänden sich an einer Kreuzung. Bisweilen entschieden sie sich für den falschen Weg – auf dem sie dann tief in den Wald wanderten, um schließlich festzustellen, dass sie in eine Sackgasse geraten waren, an deren Ende es nur Sägemehl, Brotkrumen und eine Nachricht gab: ›Lieber Wald, ich schulde dir 14 Bäume. Dein lieber durchgeknallter Holzfäller Gunther.‹

Wir aber fragen uns seit den Zeiten von Gunther, dem Holzfäller: Ist ein Holzfäller, der des Morgens seinen Holz-

weg entlang zur Arbeit geht, eigentlich *on the woodway*? Und wenn ein Baum auf einen *woodway* fällt und niemand das hört (nicht mal Gunther): Hat es trotzdem ein Geräusch gegeben? Ja, *woodways* sind echte Gedankenlabyrinthe. Was ein weiterer sehr guter Grund dafür ist, sowohl Holzwege als auch die Terroristen des Waldes, die Holzfäller, strikt zu meiden. Man kann gar nicht vorsichtig genug sein in diesen Zeiten.

Ass Monkey Castle *(Aschaffenburg)*

Im Jahre 2012 ereignete sich eine rührende Geschichte: Eine herzensgute, ältere spanische Señora wollte ihrer Gemeinde die Restaurierung eines jahrhundertealten Freskos schenken, das Jesus zeigte. Um größere Umstände zu vermeiden, machte sie sich gleich selbst ans Werk. Das Ergebnis sah aus wie ein Porträt, das mit Fingerfarben gemalt war – von jemandem, der noch nie ein Gesicht gesehen hatte und keine Finger besaß. Es war unfassbar. Der BBC-Korrespondent schilderte seinen Eindruck so: »Es sieht aus wie die Krakelzeichnung eines sehr haarigen Affen in einer schlecht sitzenden Toga.« Ein anderer nannte es kurz »Kartoffeldruck-Jesus«. Wie auch immer – was zunächst wie ein Desaster für die kleine Gemeinde erschien, entpuppte sich schnell als Glücksfall. Nachdem die Geschichte die Runde im Internet gemacht hatte, setzte ein nicht enden wollender Pilgerstrom ein, weil alle Welt den Micky-Maus-Jesus der alten Schachtel sehen wollte.

Der Mechanismus ist klar: Größtmöglicher Mist = maximaler Umsatz. Man kann etwas Ähnliches auch in dem österreichischen Dörfchen Fucking beobachten, dessen Ortsschild etwa dreimal pro Woche von englischen Touristen geklaut wird. Oder demnächst in der Stadt *Aschaffenburg*. Es mag etymologisch erwiesen sein, dass der Name vom Fluss Aschaff kommt und ursprünglich »Burg am Fluss der Asche des Baums« bedeutet, aber wir schlagen vor, dass die Stadtväter im Falle einer ökonomischen Notlage einfach die spanische Lady engagieren, damit sie allen Ortsschildern ein »R« hinzufüge. Dann eine kurze Mail an *Lonely Planet* – und es wird ein Zustrom hilflos giggelnder Touris nach *Ass Monkey Castle* einsetzen.

I understand only train station
(Ich versteh nur Bahnhof)

Die Deutschen sind Pioniere der Technik und haben sich ihren exzellenten Ruf als Ingenieure und Logistiker redlich verdient. Sie beherrschen so komplexe Systeme wie Bahnhöfe, die als Verkehrsknotenpunkte lebenswichtig sind.

Die Wendung *I understand only train station* bedeutet unter Deutschen: »Ich bin verwirrt und kapiere nix.« Deutsche im Ausland könnten damit aber auch ausdrücken, dass sie zwar den langweiligen Mist nicht verstehen, den der *Foreigner* da verzapft, dass sie aber jederzeit in der Lage wären, den örtlichen Bahnhof zu analysieren und neu zu organisieren. Ideal ist dieser Ausdruck für unsinnige Konversationen geeignet. Wenn jemand fragt »*How are you?*«, obwohl er dich gar nicht kennt, oder wenn er dich in ein Gespräch über das Wetter, Reality-TV, Kricketergebnisse oder deine Gefühle verwickeln will, dann antworte »*I understand only train station.*« – als freundlichen Hinweis darauf, dass er dich langweilt, dass euer beider Lebensspanne begrenzt ist und dass ihr bitte über etwas intellektuell Anspruchsvolleres reden möchtet.

World Room *(Weltraum)*

Über die unendliche Weite des Alls nachzudenken kann einen schwindlig machen und mit Furcht erfüllen. Man fühlt sich schnell wie ein winziges, bedeutungsloses Pünktchen im Kosmos. Übernähme das Englische allerdings den Deng-lisch-Ausdruck *World Room*, sähe die Sache schon anders aus. Wir wären deutlich weniger eingeschüchtert, wenn nicht mehr vom All und dem Nichts und der Unendlichkeit die Rede wäre, sondern vom guten alten Raum. Sicher, es wäre der größte Raum des Hauses. Eigentlich der größte, den man sich überhaupt vorstellen kann. Ein Raum ohne Anfang, Ende und Türen. Ohne Sauerstoff und ohne *kippable windows*. Aber was soll's? Nur ein Raum! Wenn wir in näherer Zukunft alle mit eigenen Space-SUVs rumrasen, können wir es weiterhin gruselig formulieren: »*I'm heading out into space*« – wir können es aber auch nett sagen: »Ich muss kurz in den *World Room*, ein paar von den leckeren Galaktose-Chips holen; du weißt schon, vom Globular Star Cluster 9. Bin gleich wieder da, Schatz!«

Wind Trousers *(Windhose)*

Während meines Studiums habe ich mal ein Erdbeben erlebt. Ich würde gerne berichten, dass das eine schreckliche Erfahrung war. Dass ich mich trotzdem knapp retten konnte. Und dazu auch eine schöne Frau, die sich daraufhin sofort in mich verliebt hat. Erst recht, als ich auch noch einen kleinen Hund mit verletztem Bein und Augenklappe gerettet habe. Aber leider ist das Leben selten ein Hollywood-Blockbuster. In Wirklichkeit saß ich mit meinem Kumpel Fraser im Wohnzimmer beim Mario-Kart-Spielen, als der Fußboden ein bisschen wackelte. Ich fragte Fraser: »Spürst du das?« Er antwortete: »Spüren? Was?« Dann sagte ich: »Oh, jetzt hat's aufgehört.« Das war's. England hat keine besonders tollen Erdbeben. Ehrlich gesagt, weiß ich nur, dass es ein Erdbeben war, weil die Lokalzeitung am nächsten Tag groß damit aufmachte. Das Epizentrum hatte nur wenige Meilen entfernt gelegen und ein Verkehrsschild war beschädigt worden. Große Sache.

Leider kann ich also nicht herumerzählen, dass ich ein Erdbeben erlebt habe. Denn wenn ich die Geschichte erzähle, sagen die Leute schnell: »Das zählt nicht!« oder »Da hast du jetzt übertrieben!« oder »Hau ab, du Aufschneider!«. Was ich und die englische Sprache brauchen, ist ein süßes kleines Wörtchen für kleine Erdbeben – so wie die Deutschen das Wort *Wind Trousers* für einen Hosentaschen-Tornado haben. »Das soll ein Tornado sein, Holger? Das ist doch nur *a Wind Trousering*! Los, geh wieder da raus, du *Fear Bunny*!«

Falling Umbrella Hunter *(Fallschirmjäger)*

Ich habe letztens versucht, ein Buch auf Deutsch zu lesen. Das läuft ein bisschen anders als sonst: Ich lese achtmal lang-

samer, es ist achtmal mühsamer und meine Freundin muss anwesend sein, um mitzulesen. Sie darf kurze Nickerchen machen, bis ich wieder so weit bin umzublättern.

Ich erinnere mich gut an diesen Abend, weil ich da zum ersten Mal über das Wort »Fallschirmjäger« stolperte. Ich drehte mich zu ihr. »Was heißt dieses lange Wort da, zwischen den ganzen anderen langen Wörtern, aus denen deine komische Sprache besteht?«, fragte ich. Sie beugte sich über mein Buch. »Das findest du selber raus. Steht doch alles da«, ermutigte sie mich wie eine ewig gütige Kindergärtnerin. Ich starrte das Wort an. Studierte es. Zerlegte es in seine Bestandteile. Von wegen »Steht doch alles da«! *A Falling Umbrella Hunter*? Hä?!? »Wenn alles dasteht«, fragte ich, »wieso denke ich dann gerade an eine hysterisch kichernde Mary Poppins, die an einem schwarzen Regenschirm durch eine stürmische Nacht fliegt, hässliche Lieder singt und kleine Kinder jagt, um sie mit Süßigkeiten zu vergiften?«

»Weil du blöd bist«, antwortete sie.

Don't ask after sunshine
(Frag nicht nach Sonnenschein)

Die meisten Engländer fahren nicht in Urlaub, um fremde Länder kennenzulernen, sondern um es genauso wie in England zu haben – nur 12 Grad wärmer. Hätten die Britischen Inseln ein Thermostat, mit dem man die Durchschnittstemperatur auf 22 Grad Celsius erhöhen könnte – ihr würdet nie wieder einen Engländer jenseits des Kanals antreffen, außer für eine Weltmeisterschaft oder einen Krieg. Wenn die Engländer ins Reisebüro gehen, wollen sie genau zwei Dinge wis-

sen: »Ist es da wärmer als hier? Und wann geht der Flieger?«
Die Übernahme des Denglisch-Ausdrucks *don't ask after sunshine* könnte der höfliche kleine Stupser sein, der sie daran erinnert, dass man auch andere Fragen stellen könnte. Nach der örtlichen Kultur. Geschichte. Sprache. Währung. Es wäre eine freundliche Erinnerung daran, dass Urlaub mehr sein könnte als das Zurschaustellen von Union-Jack-Badehosen, das Hinunterstürzen billiger Cocktails und der Verzehr von Egg-and-Chips, bis man einen Sonnenbrand, eine Alkoholvergiftung und eine Fettleber hat und wieder nach Hause kann.

We sit quite beautifully in the ink
(Wir sitzen ganz schön in der Tinte)

Da der genaue Ursprung dieser merkwürdigen Wendung unbekannt ist, ergreife ich die Gelegenheit und spekuliere mal wild drauflos. Ich denke, diese Redensart drückt ein unausgesprochenes Unbehagen des auf Effizienz gepolten deutschen Wesens aus, nämlich die Skepsis gegenüber allem Modernen, Hippen und Knalligen und die Bevorzugung des Zeitlosen, auch wenn es ineffizient ist. Handschriftlich schlägt digital. Briefe schlagen seelenlose E-Mails. Handgemachtes schlägt industriell Gefertigtes. Auch wenn es nicht schnell geht – der Weg ist das Ziel. Auch wenn kein Auto kommt – das rote Ampelmännchen verdient meinen Respekt. Auch wenn die Studiengebühren in Deutschland niedriger sind als in fast allen europäischen Ländern – sie gehören abgeschafft. Es ist egal, wie lange es dauert, den Müll zwischen fünf Tonnen zu trennen. Mir ist egal, dass Wissenschaftler sagen, elektronisches Spielzeug, das blinkt und piepst, rege Babys mehr an – ich glaube an den pädagogischen Wert von Holzspielzeug, das allenfalls entfernt der unzureichenden Beschreibung eines nicht näher definierten Tiers ähnelt. Wenn ich mich irre, irre ich mich eben. Am Ende sitzen wir sowieso alle in der Tinte. Aber dann sitzen wir zumindest in gut verträglicher Bio-Tinte.

Mir ist schon klar, dass das alles überhaupt nichts mit der eigentlichen Bedeutung der Redensart zu tun hat – und dass ich jetzt dank meiner Spekulationen selbst ganz schön in der Tinte sitze. Aber dann ist das eben so. Hier sitze ich, *beautifully in the ink*.

My Dear Mister Singing Club's School of Denglisch: Doch, ja klar, äh nein, ich mein jein!

Engländer verweisen oft mit einem gewissen Stolz auf die (weitgehend unbelegte) Tatsache, dass ihre Sprache den umfangreichsten Wortschatz der Welt besitze. Umso schwerer ist es zu fassen, dass unsere Sprache kein Wort für das genial einfache deutsche »doch« hat. Wahrscheinlich liegt das daran, dass wir ein eher konfliktscheues Volk sind – wir ziehen es vor, *agreeing to disagree*, als uns wie *Smart Shitter* aufzuführen. Bevor wir uns im Streitgespräch den Weg zur richtigen Lösung *neinen* und *dochen*, vermeiden wir lieber die ganze Diskussion und sagen Dinge wie: »Sehr interessant, Ihre Meinung, der Mensch sei auf die Erde gekommen, indem er aus kosmischen Eiern schlüpfte. Ich verstehe, woher Ihr Standpunkt kommt. *Let's agree to disagree.*«

Wir müssen das ändern! Wir müssen lernen, für uns selbst und unseren Standpunkt einzutreten. Die deutsche Wirtschaft ist die Lokomotive Europas, während wir uns nur noch mühsam über Wasser halten. Unsere Tourismus-Einnahmen hängen von einer sehr alten Dame und ihren Palästen in London ab, und Wladimir Putin hat uns als »kleine Insel, auf die niemand mehr hört« verhöhnt. Wir brauchen eine bessere, selbstbewusstere Möglichkeit, unseren Mann zu stehen. Wir brauchen *doch*.

Ich schlage hiermit einen Tausch vor. Das Englische und

das Deutsche könnten sich in einem verlassenen Park treffen. Das Englische würde einen Bowler-Hut tragen, das Deutsche gäbe sich durch ein Bund Spargel zu erkennen. Jeder hat einen unauffälligen Aktenkoffer mit dem Tausch-Wort bei sich. Beide nehmen auf einer leeren Bank Platz. Kein Augenkontakt. Das Englische schiebt seinen Koffer unauffällig mit dem Fuß rüber. Es herrscht absolute Stille während des Austauschs, dann stehen beide auf und gehen in unterschiedliche Richtung davon. Schnell verschluckt der Nebel die Silhouetten und das Geräusch der Schritte. Später öffnen sie mit zitternden Händen die Koffer und befreien die Geiselwörter. Wir Engländer finden das Wort *doch* und jubeln, weil wir nun endlich eine Negativ-Frage sinnvoll und knapp beantworten können, wie zum Beispiel:

»*You don't really need the word* doch *in English, do you?*«

»*Yes.*«

»*Yes, you do? Or yes, you don't?*«

»*Yes, we do.*«

»*Need it or don't need it?*«

»*YES! YES! YES! WE REALLY NEED THE WORD* DOCH! *NOW SHUT UP AND HELP ME FIND MY BOWLER HAT, I'VE GOT TO MEET SOMEONE IN THE PARK.*«

Doch als die Deutschen ihren Umschlag öffnen, sind sie überrascht. Sie vermuten zuerst einen Irrtum, freuen sich aber dann über ein gutes Geschäft: Es sind zwei Wörter darin! Hurra! Bei näherem Hinsehen bemerken sie allerdings, dass sie beide Wörter längst hatten, sowohl »mobil« als auch »Telefon«. »Mobiltelefon«. Ausgerechnet die Deutschen hatten nie darüber nachgedacht, dieses Kompositum zu bilden. Sie probieren es aus, bewegen es im Mund hin und her. Mobiltelefon. Nicht schlecht, nicht schlecht. Ein großer Tag für

Deutschland, der das Zeug zum bundesweiten Feiertag hat: *Tag der Deutschen Neueinstufung* oder so, zur Feier des Augenblicks, da das Nonsenswort *Handy* endlich ausgemustert wurde.

Aber nicht nur das Wort *doch* zeigt die Überlegenheit des Deutschen gegenüber der armseligen englischen »Ja-oder-Nein«-Auswahl – die erfindungsreichen Deutschen haben auch noch das Wort »*Jein*«, um gleichzeitig »Ja« und »Nein« sagen zu können. Die englische Antwort wäre um ein Vielfaches geschwätziger: »*Well... yes aaaand no...*« Wenn in England, dem Mekka des Small Talks, jemand so anfängt, wird er dir einen nennenswerten Teil des Tages stehlen, weil er aus lauter Angst, unhöflich zu sein, nicht auf den Punkt kommt – oder weil er eine willkommene Gelegenheit erkannt hat, unkontrolliert draufloszuquasseln.

Wenn du einem Engländer beispielsweise die simple Frage »Lust auf einen Spaziergang?« stellst und er anhebt mit »*well... yes aaaand no...*«, dann solltest du die Schuhe ausziehen, dich hinsetzen und dir etwas zu trinken nehmen. Das kann jetzt dauern.

»*Well... yes aaaand no...* Ich meine, es ist wirklich ein traumhafter Tag für einen Spaziergang. Mir gefällt der Vorschlag sehr. Gerade nach dem ganzen Regen in den letzten Tagen. Unglaublich, dieses Wetter, oder? Macht einfach, was es will. Kaum zu glauben, nicht? Na ja, ist eben Wetter. Da fällt mir ein, wie ich 1974 mal spazierengegangen bin. Da hatten wir auch Wetter. Ich glaube, es war gelb. Und mit ein bisschen Wind. Ja, ich würde sehr gerne spazierengehen, wirklich, und ich habe das Gefühl, dass du genau die Art Spaziergang vorschlägst, die ich am meisten mag. Auf so einem Spaziergang kann man ja auch alles Mögliche erleben.

Zu blöd, dass ich heute früh bei einem kleinen Unfall unter Wasser beide Beine verloren habe. Diese Haie werden auch immer aufdringlicher, oder?«

Da kommen Deutsche doch irgendwie schneller auf den Punkt:

»Lust auf einen Spaziergang?«

»*Jein.* Schönes Wetter. Beine ab. *Schönen Tag noch.*«

Denglisch Food and Drink

In its shortness lay its spice

Sich an die Tischsitten einer Kultur zu gewöhnen kann recht kompliziert sein. So gibt es Länder, in denen die Bitte um einen Nachschlag als Gebot der Höflichkeit betrachtet wird – und solche, in denen man sich damit als ungehobelter Barbar erweist. Für den Ausländer, der nach Deutschland kommt, besteht die größte Herausforderung darin, sich an die Dauer und den Umfang der Mahlzeiten zu gewöhnen.

Zuerst *the breakfast* – weit mehr *break* als *fast*. Essen, plaudern, Zeitung lesen, darüber nachdenken, noch was essen, reden, rauchen, Kaffee trinken, etwas Süßes essen, einen Sekt aufmachen, etwas Herzhaftes essen, ein Nickerchen machen, weiteressen … Unter dem Aspekt der Effizienz, für die die Deutschen so gefürchtet sind, scheint es beim deutschen Frühstück durchaus noch Optimierungschancen zu geben.

Sowohl das Mittag- als auch das Abendessen bieten eher wenig Abwechslung. Im Prinzip wird einfach ein großes Tier getötet und quer über den Teller gelegt. Dazu gibt es Kartoffeln. Viele Kartoffeln. Noch mehr Kartoffeln. Es gibt weniges, das Deutsche nicht mit Erdäpfeln machen könnten. Leider beschränken sie sich meist auf die Variante, sie dir unaufgefordert zu servieren – egal, was du bestellt hast. Du wirst dich manchmal fühlen, als wäre ein einfaches Abendessen bei Freunden eine Kohlehydrat-Olympiade. Dazu wird viel geprostet. Wenn dann alles vorbei ist und die Tischgesellschaft dein Sexleben für die nächsten sieben Jahre festgelegt hat (»Weitermachen« oder »Es geht abwärts«), bekommt der Kellner erstens *Drink Money* und muss dafür zweitens seine Realschulprüfung in Mathematik wiederholen, weil die Deutschen darauf bestehen, getrennt zu zahlen. Dann radeln alle nach Hause und grübeln, ob die drei Flaschen Mineralwasser, die man zu fünft geleert hat, wirklich fair abgerechnet worden sind.

Das Nachtessen ist normalerweise eine recht simple *Evening-Bread*-Angelegenheit. Aus unbekannten Gründen wird es gern auf einem Holzbrett serviert. Das Holzbrett bietet zwei Vorteile. Zum einen – das hat es mit dem guten alten Teller gemeinsam – kann man darauf eine Speise anrichten. Zum anderen kann man, wenn es einem nicht geschmeckt hat, einen Tadel an die Küche in das Brett schnitzen.

To come in the devil's kitchen
(In Teufels Küche kommen)

Was genau an des Teufels Küche jagt den Deutschen so viel Angst ein, dass sie sich dort wähnen, wenn sie echt in Schwierigkeiten stecken? Wär es dort wirklich so schlimm? Ich stelle mir die Küche des Teufels gar nicht so schlecht vor. Mit Rösten, Braten und Sieden sollte er sich auskennen, und auch teuflisch scharfe Gewürze dürften vorhanden sein. Die Bösewichte unter den großen Köchen der Menschheit haben zusätzliche Kompetenz mitgebracht, als sie *in the devil's kitchen* kamen. Ich sehe den Teufel vor mir, in seiner Kiss-the-cook-Schürze, wie er einen Teufelsbraten in die Röhre schiebt, nachdem er die eine oder andere Prise Paprika, Chili oder ewige Verdammnis hinzugefügt hat. Der Teufel würde auf alle Fälle ein bisschen Pfeffer in die lahme deutsche Küche bringen, in der man jahrhundertelang stets geantwortet hat: »Tu noch ein bisschen Senf dazu« – egal, wie die Frage lautete.

Luck Mushroom *(Glückspilz)*

Als hauptamtlicher Depp weiß ich nur eine einzige Sache über Pilze, nämlich dass hauptamtliche Deppen nicht einfach in den Wald latschen und irgendwelche Pilze sammeln und essen sollten, wenn sie nur eine einzige Sache über Pilze wissen. Da ich nicht weiß, welche Pilze essbar sind, welche mich umbringen und welche mich auf einen alternativen Trip zu Gott höchstpersönlich schicken würden, heißt mein Überlebensrezept: Pilze nur im Supermarkt kaufen, wo sie von Profis und Maschinen absolut idiotensicher verpackt für Trottel wie mich bereitliegen.

Vermutlich ist unser neues Denglisch-Wort exakt für Intelligenzbolzen wie mich erfunden worden. Einer meiner Brüder im Geiste ist wahrscheinlich mal mit einer Gruppe eifriger und perfekt ausgerüsteter Deutscher in die Pilze gegangen und hat einfach von allem mal genascht, was da rumstand. Und konnte später trotzdem von diesem Ausflug berichten. Eine echter *Luck Mushroom*.

Mirror Egg *(Spiegelei)*

Wenn man wirklich einmal ernsthaft darüber nachdenkt, ist das Ei eigentlich ein Spiegel der Seele. Möglicherweise sogar der Spiegel, der uns am meisten zeigt und am tiefsten blicken

lässt. Denn was das Ei uns zeigt, sind nicht nur wir selbst und das Ei, sondern es ist recht eigentlich das Universum selbst. Die Schöpfung. Das Ganz-bei-sich-Sein. Wiedergeburt. Der ewige Kreislauf von Zeugen, Werden und Vergehen. Das Wesen der Zeit und des Todes. Die Relativität von Ursache und Wirkung. Und das alles in einem perfekten kleinen Universum. Kann es ein Zufall sein, dass der Name eines großen Existenzphilosophen das deutsche u n d das englische Wort für diese sich selbst genügende Seinsform enthält? Wie tief hat Martin Heidegger einst in diesen Spiegel geschaut, der uns das Ei sein kann? Wow!

Natürlich: Wenn man wirklich ganz ernsthaft darüber nachdenkt, kann man auch zu dem Schluss kommen, dass man gerade echt zu viel nachdenkt. Vor allem um diese Tageszeit. Aber das ist eben die tiefe, mystische Kraft des *Mirror Egg*, das dir beim Frühstück eine Reflexion deiner Seele schenkt.

Die Fragen, die das *Mirror Egg* dem Morgenmuffel vorlegt – »Wer bin ich?« –, sind schon existentiell. Wirklich verstörend aber sind die Fragen, die *Lost Eggs* (Verlorene Eier) aufwerfen: »Wie: verloren? Wo sind sie denn hin? Ich hab Hunger, verdammt!«

Over liquid *(Überflüssig)*

In billigen amerikanischen Football-Filmen sieht man regelmäßig einen völlig derangierten Trainer, der sein Loser-Team mit den Worten motiviert: »GEHT JETZT DA RAUS UND GEBT 110 PROZENT!«

Bei diesen hirnfreien Fleischbergen scheint das sogar zu

wirken. Ihre Spezialität ist eben nicht Mathe, sondern mit Anlauf in andere Riesenschinken in Rüstung zu rennen. Bei Deutschen würde der Motivationsschrei wirkungslos verpuffen, weil sie mit dem Wissen aufwachsen, dass Flüssigkeitsmengen, die das Volumen des bereitgestellten Gefäßes übersteigen, nutzlos sind. 100 Prozent passen in den Eimer. 110 Prozent bedeuten Wasser auf dem Badezimmerfußboden. Bier auf dem Tresen. Tsunami im Atomkraftwerk.

»Nein, Trainer«, wird der kluge *Denglischman* sagen, »Sie werden genau 100 Prozent von mir bekommen. Es sei denn, Sie stellen einen zweiten Eimer auf. *A good horse jumps only as high as it must*. Alles andere ist *over liquid*.«

I don't trust the roast
(Ich trau dem Braten nicht)

Dieser Ausdruck geht auf ein altes Märchen zurück, in dem ein Bauer eines seiner Schweine zum Abendessen einlädt. Obwohl das Schwein offenbar schlau genug ist, eine schriftliche Einladung zu entziffern und ihr zu folgen, ist es doch nicht so helle, dass es sich seiner Position in der Hierarchie des Bauernhofs entsinnt – im Land der Würste. Nein, es nimmt die Einladung freudig an. Als es sich aber der Küche nähert, erschnuppert es einen Duft, der ihm merkwürdig bekannt vorkommt. Roch es so nicht auch, als sich Onkel Alfred während des legendären Stallbrands von 1998 das Schwänzchen versengte?

Dann denkt das arme Schwein zwei Dinge direkt nacheinander: »Hier riecht's nach Schwein! Und … ich bin ein Schwein!« Es begreift, dass die Einladung eine Falle ist und rennt weg oder wird gegessen oder so was. Hab das Ende vergessen. Waren es überhaupt Schwein und Bauer? Können auch Hase und Fuchs gewesen sein, oder Schaf und Wolf. Entscheidend ist: Der Weg vom Ehrengast zum Hauptgericht kann sehr kurz sein. *Don't trust the roast.*

With me is not good cherries eating
(Mit mir ist nicht gut Kirschen essen)

Würde man eine international anerkannte Skala verbaler Drohungen aufstellen – so wie die Richter-Skala oder diese Stromspannungsskala, die man sich nie merken kann –, dann stünde vermutlich an der Spitze ein sizilianischer

Mafioso, der einem anbietet, bei den Fischen zu schlafen, oder der einem einen Pferdekopf ins Bett legen lässt. Wem das nicht bedrohlich genug ist, der kann auch die Frage eines betrunkenen, zahnlosen Glasgower Türstehers auf Platz 1 setzen: »Hast du mich gerade angemacht oder kaust du gerne Ziegelsteine? Egal – deine Zähne bist du auf jeden Fall los.«

Ohne respektlos sein zu wollen: Am entgegengesetzten Ende der neuen Drohungs-Skala stünde wohl die wirklich furchterregende deutsche Ankündigung *»with me is not good cherries eating«.* Ich riskiere mal ein scharfes Urteil: Das klingt irgendwie ein bisschen lahm. Ist das überhaupt eine Drohung? Oder eher eine überflüssige Mitteilung von jemandem, der keine Kirschen mag? Oder beides? Es ist auf jeden Fall eine großartige denglische Herausforderung. Wie ein Bankräuber, der nur mit einer Banane in einer Papiertüte bewaffnet ist, könnte *with me is not good cherries eating* der perfekte Bluff sein. Ob du damit durchkommst, merkst du daran, ob die Angesprochenen beginnen zu zittern wie *Fear Bunnies,* oder *laughing themselves dead.*

My Dear Mister Singing Club's School of Denglisch: Du you Sie me?

Ich brauche keinen Wecker. In der Regel weckt mich mein Nachbar Peter. Er ist Alkoholiker und kommt dann entweder aus der Kneipe und verwechselt die Tür, oder er hat einfach Lust auf einen Whiskey mit mir. Was schwierig ist, wenn ich noch nicht mal mein Müsli im Magen habe.

Im Laufe unserer Freundschaft hat Peter mich so manches gelehrt. Das meiste hat mit Fluchen, Saufen oder Schlägen auf den Arm zu tun. Aber die wichtigste Lehre, die ich ihm verdanke, heißt: Du musst nicht jedem Nachbar die Freundschaft anbieten.

Das Deutsche hat ein perfektes System, förmliche und persönliche Beziehungen zu unterscheiden, und es ist *as easy to Sie as it is to Du. Ho ho ho.*

Ich habe das System ignoriert.

Als ich Peter – oder, wie ich besser hätte sagen soll: Herrn Decker – zum ersten Mal begegnete, packte ich Naivling mein strahlendstes Lächeln aus und beförderte ihn *du-du-dee-du-dee-du* umstandslos in die Kategorie »mein Freund«. Fünf Minuten später stand er vor meiner Tür, bewaffnet mit zwei Flaschen Whiskey, passenden Gläsern und einem Foto, das ihn mit einer Pumpgun zeigt und das ich als sein neuer bester Freund für ihn kopieren sollte.

Ho ho oh … my … god.

Damals verstand ich die Regeln, wen und wann man duzt bzw. siezt, noch überhaupt nicht. Mittlerweile habe ich sie gründlich studiert – und kapiere sie weiterhin nicht. Okay, manches ist völlig einleuchtend. Ältere Leute, Chefs, Amtspersonen, Dozenten siezt man. Klar. Aber es sind die Nuancen, die mich verwirren. Was ist, wenn ich gemeinsam mit meinem Chef abstürze und er mir nach dem vierten Drink das Du anbietet? Soll ich ihn dann auch, verkatert wie wir beide sind, im bleichen Bürolicht des nächsten Morgens duzen, im Meeting? Wie sprichst du einen Polizisten an, der dich gerade verhaftet, aber gleichzeitig dein Sohn ist? Wie sprichst du dich selbst an, wenn du eine Zeitreise machst und deinem älteren Ich gegenübertrittst? Und was ist, wenn du dich mit deinem Chef betrinkst und dann in die Vergangenheit reist, um dich selbst zu verhaften? Und wenn die Zeitreise deine Erinnerung löscht, so dass du bei der Rückkehr nicht mehr weißt, dass der Chef zugleich dein Vater ist?

'tschuldigung. Stop. Ich bin ein bisschen durcheinander.

Auf jeden Fall kann die Frage des Duzens und Siezens eine Menge Verwirrung stiften – vor allem, wenn man zu viel Phantasie hat. Zu meiner Verteidigung: Meine Muttersprache ist die einzige indoeuropäische Sprache, die auf die Möglichkeit verzichtet hat, Beziehungen nach dem Grad ihrer Förmlichkeit zu unterscheiden. Warum muss ich berücksichtigen oder rausfinden, ob jemand jünger oder älter ist als ich? Ob er gesellschaftlich über oder unter mir steht? SIND WIR NICHT ALLE BRÜDER?!

Aber mittlerweile habe ich begriffen, dass die Unterscheidung zwischen Du und Sie einen sehr praktischen Nutzen hat. Zum Beispiel bei meinem Nachbarn Peter. Wenn er zu nervig wird, gehe ich auf Distanz, indem ich zurück zum

»Sie« wechsle, bis er es gerafft hat. Natürlich hat er es am nächsten Tag wieder vergessen und wir duzen uns wieder. Es ist ein ständiges Hin und Her, abhängig von der Tageszeit, dem Getränkeangebot und meiner Geduld. Peter kommt weiterhin fast jeden Tag vorbei, um sich Geld zu leihen, einen mit mir zu trinken oder mir ein skurriles Geschenk unklarer Herkunft zu bringen.

Ich hätte eben von Anfang an klar beim »Sie« bleiben sollen. Die Kraft der zwei Anreden ist nicht zu unterschätzen. »Du« heißt: »Komm rein, lieber Freund, nimm dir meine Hausschuhe, leg dich auf mein Sofa, fühl dich wie zu Hause, lass uns was Leckeres kochen und einen Film gucken!«

»Sie« heißt: »Diese Tür bleibt zu.«

Denglisch Mind and Body

Helping hold your ears stiff

In diesem Jahr hatte ich meine erste deutsche Erkältung – und es war herrlich! Englische Erkältungen kannte ich zu Genüge – aber die kann man echt vergessen: Man muss mit allem wie gewohnt weitermachen und hat dabei zusätzlich lästigen Husten und eine laufende Nase. Man fühlt sich scheiße, sieht scheiße aus und die Leute gehen noch ein bisschen mehr auf Distanz als sonst.

Bevor ich nach Deutschland kam, war mir nicht bewusst, dass es auch bei Erkältungen kulturelle Unterschiede gibt. Ich wachte morgens auf – leichter Husten, bisschen Schniefnase – und erhob mich seufzend, um zur Arbeit zu gehen. Aber meine Freundin kam angestürmt und drückte mich wieder ins Bett.

Deutsche Partner sind bezaubernd, wenn man krank ist. Sie verwandeln sich in eine Mischung aus Mama, *Sick Sister*, Arzt, Apotheker und weiser Kräuterhexe. Das normale Leben kommt zum Stillstand. Dein Schnupfen ist jetzt dein Leben.

»Is schon okay«, sagte ich, »ist nur ein kleiner Schnupfen. Ich muss jetzt zur Arbeit.«

»Du machst heute gar nichts, außer im Bett liegen«, erwiderte sie mit mütterlicher Strenge. »Du bist krank.«

Ich wollte gerade weiterdiskutieren, als ich bemerkte, wie bescheuert das war. Sie wollte, dass ich den ganzen Tag im

Bett verbrachte, während sie mich umsorgte, mir zu essen und zu trinken brachte – und ich wollte darauf bestehen, zur Arbeit zu gehen? Ich beschloss, auf meine bessere Hälfte statt auf meinen Körper zu hören, und mich der Erkältung einfach hinzugeben.

Es war ein Traum! Sie wickelte mir den magischen deutschen Wunderheilungsschal um den Hals, um dann loszuziehen und mit einer halben Apotheke zurückzukehren. Ich bekam Zeugs auf die Brust geschmiert, in die Nase gerieben und in den Rachen geträufelt. Ich *hedgehogede myself* dann für den Rest des Tages unter der Bettdecke, während sie mir ununterbrochen Zaubertränke aus Ingwer, Zitrone und Honig braute.

Seither bin ich dermaßen scharf drauf, in dieses deutsche Wellness-Narnia zurückzukehren, dass ich angefangen habe, Bussitze abzulecken, Leute dafür zu bezahlen, dass sie mich anniesen, und nur noch mit nassen Haaren und barfuß aus dem Haus zu gehen.

Feel somebody on the tooth
(Jemandem auf den Zahn fühlen)

Ich war mal in der Vorstellung eines Zauberers, der Leute auf die Bühne holte und anfing, ihnen von Zahnschmerzen zu erzählen. Nach ein paar Minuten hatten alle welche – und hauten entweder ab oder flehten ihn an, das Thema zu wechseln. Mich überzeugte das alles nicht – ich war mir sicher, dass das Schauspieler waren. Bis ich erstmals einen Brief vom *Finanzamt* bekam. Darin stand, dass ich es versäumt habe, ein *big-long-word* auszufüllen und dass ich jetzt unverzüglich das anliegende *other-long-word* ausfüllen müsse, weil sie sonst gezwungen seien, ein *giant-german-legal-threat-thing* zu veranlassen, was ich auf keinen Fall riskieren solle wegen *some bullet points*. Ich spürte sofort ein scharfes Ziehen in einem meiner Backenzähne. Dieses Ziehen stellt sich seither jedes Mal ein, wenn ich den Absender *Finanzamt* sehe. Die sind mindestens genauso gut darin wie der Zauberer: *feeling somebody on the tooth*.

Secret Advice Corner *(Geheimratsecke)*

Man liest viel über die Initiationsriten traditioneller Völker – die ausgefeilten Zeremonien, durch die Jungen zu Männern werden. Meist müssen sie sich für einige Tage und Nächte alleine in der Natur behaupten und dabei eine Aufgabe bewältigen, die Mut und Geschick verlangt: mit bloßen Händen eine Antilope töten oder einen Ort der Geister aufsuchen.

Eigentlich sollten in einer zivilisierten Kultur Männer, die beginnen, ihr Haar zu verlieren, ähnlich viel Respekt ernten.

Auf der Lebensreise eines Mannes ist schließlich auch dies ein Übergang in eine neue Phase – von naiver Lebenslust zu erfahrungsgesättigter Demut. Gut, der neue Lebensabschnitt wird vor allem durch Angstzustände und das vermehrte Tragen von Kopfbedeckungen geprägt sein – aber es ist ein neuer Abschnitt. Und, *no, sir*, er kriegt keine Glatze. Er sieht nicht aus wie eine Billardkugel. Sein Gesicht braucht nicht mehr Platz, du *Fun Bird*. Die deutsche Sprache versteht die Situation des Mannes, dessen Stirn nach hinten rückt. Sie respektiert ihn. Sie benennt die Lage positiv: Er bekommt *Secret Advice Corners*, hinter denen seine Weisheit sich künftig ausbreiten und mehren kann.

Anti Baby Pill *(Antibabypille)*

Mit zunehmender Gleichgültigkeit benennt die englische Sprache eine der revolutionärsten medizinischen Erfindungen der Menschheitsgeschichte. Was ursprünglich *the combined oral contraceptive pill* hieß (und in einer Zwischenphase *the birth control pill*), heißt mittlerweile einfach nur noch *the pill*. Als hätten wir vergessen, dass wir mit ein paar Chemikalien ein evolutionäres Gesetz verändert hatten, das das Leben unserer Vorfahren seit Millionen von Jahren bestimmt hatte. Endlich können wir rumvögeln, wie wir Lust haben, ohne ein Leben lang mit den Konsequenzen namens Ben oder Mia leben zu müssen.

Etwa gleichzeitig mit der maximal beiläufigen Benennung des Medikaments eroberte England einen fragwürdigen ersten Platz in Westeuropa – bei den ungewollten Teenager-Schwangerschaften. Verwirrte junge Mädchen dachten, dass

alles, was »Pille« hieß und ungefähr so aussah, gegen alles
helfe, was gerade nervte: Bauchweh. Kater. Schwangerschaft.
Sporadische Einnahme genügt.

Um dieses Problem zu bekämpfen, sollte man den unmiss-
verständlichen deutschen Begriff *Anti Baby Pill* ins Denglische
aufnehmen. Brutaler und nüchterner geht's echt nicht. Der
Begriff sagt: »Setz dich hin, wir müssen mit dir reden.« Es
folgt ein Zwei-Stunden-Vortrag über Verantwortung, an dessen Ende der Satz steht: »Schmeiß dein Leben nicht weg.«
Nichts könnte unromantischer sein und die Libido eines
Teenagers effektiver auf arktisches Niveau herunterregeln.
Anti Baby Pill ist das Kondom fürs Gehirn.

To be washed with all waters
(Mit allen Wassern gewaschen sein)

In den großen Zeiten der Seefahrt gab es diese Kerle, die alle
sieben Weltmeere befahren und die Lektionen des Lebens
auf die harte Tour gelernt hatten. Die wettergegerbten alten,
harten, weisen Matrosen, die Schatztruhen fanden, die Skor-
but und einen Papagei hatten und noch echte Abenteuer er-
lebten. Und die sich buchstäblich mit allen Wassern der Welt
wuschen (wenn auch nicht oft).

Heute fährt leider niemand mehr zur See. Stattdessen
streiten wir uns mit Billig-Airlines um das Zusatzgewicht des
Gepäcks. Wir waschen uns auch nicht mehr mit allen Wassern, sondern akzeptieren die maximale Flüssigkeitsmenge
von 100 ml.

Umso wichtiger ist es, dass wir diese kleine denglische
Kostbarkeit bewahren – als Bezeichnung des wahren, des

modernen Matrosen, der seine Lektionen noch immer auf die harte Tour lernt. Der sich, was Flüssigkeiten betrifft, niemals mit 100 ml zufriedengibt.

Der Typ, der schon abends um sieben volltrunken auf seinem Barhocker hängt und dem eine Klopapierrolle aus der Hose hängt. Aber der trotzdem weiß, was Phase ist – anders als die Mädels, die gleich daneben alles wild durcheinander trinken und ständig »shots, shots, shots!« kreischen, als seien sie schon bestens bekannt mit Dr. Äthanol. Sie wissen noch nichts vom Leiden des kommenden Tages, wenn all der Gin und Wodka, das Bier und die Kurzen sie lahmlegen werden. Weil ihre Leber gerade *is washed with all waters*.

Sitting Pee-er *(Sitzpinkler)*

Abgesehen von einigen unbedeutenden Lebensbereichen wie Politik, Kirche, Management und Golf ist es, wie jeder weiß, von großem Vorteil, eine Frau und kein Mann zu sein. Niemand bittet dich, eine Spinne zu entfernen. Du musst nicht so tun, als seist du Fußballfan. Du lebst länger. Und du kannst multiple Orgasmen erleben.

Der einzige verbleibende Vorteil des Mannes besteht darin, dass er anatomisch in der Lage ist, im Stehen – und damit auch potentiell überall – zu pinkeln. Dieses mächtige Privileg aufzugeben, wie es viele deutsche Männer getan haben, zeugt von wahrer Größe. Mann erkennt an, dass es für ihn selbst zwar bequemer ist, im Stehen zu pinkeln – für alle anderen aber lästiger. Durch den Verzicht darauf erweist du dich als Teamplayer, der bereit ist, die alten Geschlechtergrenzen zu verwischen. Als jemand, der bereitwillig abends um 23:00 über seine Gefühle spricht, anstatt das Elfmeter-schießen des WM-Finales zu schauen. Der sich seiner Trä-nen am Ende von *Toy Story 3* nicht schämt.

Du bist ein *sitting Pee-er* und Deutschland preist dich. Bes-ser gesagt, Deutschlands Freundinnen und Ehefrauen prei-sen dich. Auch wenn sie sich hinter deinem Rücken gerne über dich lustig machen, weil du kein richtiger Kerl seist, sondern ein *sitting Pee-er*. Ignorier sie, du guter, moderner Mann. Das kannst du locker aussitzen.

My Dear Mister Singing Club's School of Denglisch: Shitstorm

Eines der ersten und größten Vergnügen beim Erlernen einer Fremdsprache sind die Flüche. Du verwandelst dich wieder in ein Kind: Du sagst bestimmte Wörter, kicherst dabei, weißt, dass man das nicht sagt – und hast keinen Schimmer, warum eigentlich.

Kraftausdrücke in einer fremden Sprache zu verwenden hat eine gewisse Leichtigkeit. Die Muttersprachler schleppen die lebenslange Prägung durch Kontext, Konditionierung und Kasteiung mit sich herum. Für uns Ausländer sind es nur Geräusche. Ich hoffe deshalb, dass ihr es für dieses Kapitel entschuldigt, wenn ich etwas großzügiger mit Schimpfwörtern um mich werfe, als es sich für ein so seriöses Werk wie dieses normalerweise geziemt.

Fluchen sollte man als Ausländer rechtzeitig lernen – also noch bevor man bis fünf zählen oder seltene Verben wie »sein« und »gehen« aussprechen kann. Als ich damit begann, Deutsch zu lernen, ermöglichten meine Sprachkenntnisse es mir, recht schnell alle meine Freunde zu vergraulen, bevor ich überhaupt welche gewinnen konnte.

Vielleicht hing ich ja mit den falschen Leuten rum – jedenfalls kannte ich drei deutsche Wörter für »shit«, bevor ich das Wort »drei« kannte. Wahre Geschichte! Mit diebischer Freude machten mir deutsche Freunde klar, dass die Frage nach einem *Stuhl* nicht immer so unschuldig war, wie ich dachte. Dann natürlich *Scheiße*, das vermutlich am häufigsten verwendete deutsche Wort überhaupt. Und *Durchfall* – mein absolutes Lieblingswort im Deutschen: ein geniales Kompositum, ein unüberbietbar anschaulicher Begriff und zudem typisch für die eher unromantische Präzision der deutschen Sprache.

Fall through.

Läuft.

Wenn ich nun neuen deutschen Bekannten erzählte, dass ich drei Wörter für »shit« gelernt hatte, noch vor dem Wort »drei«, war die Reaktion nicht etwa, dass man mir endlich beibrachte, bis drei zu zählen – sondern die umgehende Versorgung mit weiteren einschlägigen Wörtern.

Wenn man sich der Sprache durch diese spezielle Hintertür nähert, fällt einem natürlich irgendwann auf, wie allgegenwärtig *Scheiße* im Deutschen ist. 2013 nahm der Duden – in einer umstrittenen Entscheidung – auch den Anglizismus »shitstorm« auf. Als Angela Merkel den Begriff *shitstorm* verwendete, verursachte sie einen solchen in der ausländischen Presse. Darf eine Regierungschefin in einer offiziellen Presskonferenz fluchen? Wer nicht diskutierte, waren die von Merkel regierten Deutschen und ihre Medien. Niemand hier betrachtet *shitstorm* als unanständiges Wort.

Die Tatsache, dass die Deutschen nun schon beginnen, *Scheiß*-Wörter aus anderen Sprachen zu importieren, bestärkt mich in meiner Annahme, sie hätten eine Obsession mit Verdauungsendprodukten. Das ist kein neuer Gedanke – renommierte Linguisten haben das bereits untersucht. So verbrachte Hans-Martin Gauger Jahre damit, die Kraftausdrücke von 15 Sprachen zu vergleichen. Sein Ergebnis: Nicht die Deutschen sind besessen vom Fäkalen, sondern alle anderen vom Sexuellen. Nur die Deutschen verzichten darauf, negative Empfindungen mit sexuellen Metaphern zu beschreiben. Was gute Gründe hat: Warum sollte man so etwas Gesundes, Natürliches und Vergnügliches wie Sex dämonisieren?

Als ich diese vergleichenden Beobachtungen zum Thema Kraftausdrücke behutsam mit meinen deutschen Freunden besprach, reagierten sie ähnlich. Sie fragten mich: »Warum sind die Engländer so fixiert auf Sex und Genitalien und warum werft ihr ständig mit Synonymen für den Penis um euch?«

»Habt ihr ein Problem mit Genitalien?«, fragten sie.

»Nein, natürlich nicht«, antwortete ich kleinlaut.

»Findet ihr es richtig, wenn Kinder ein verklemmtes Verhältnis zu ihrem Körper entwickeln und denken, manche Körperteile seien unanständig oder böse und sollten nicht am Strand gezeigt werden, obwohl Nacktbaden erlaubt ist?«

»Äh, nee …«

»Und ist Sex etwas Verwerfliches?«

»Also, äh, nein …«

»Sollten Kinder mit dem Gedanken aufwachsen, dass Sex kein normales, gesundes Zeichen der Zuneigung zwischen zwei Menschen sei, sondern etwas Schlechtes, Schmutziges, Unmoralisches? Dass man nur flüsternd und schuldbewusst darüber sprechen dürfe? Dass wir dieses normale menschliche Bedürfnis verdammen sollten?«

»Hmm, also … natürlich nicht.«

»Findest du, dass Scheiße stinkt?«

»Äh … ja?«

»Gut. Willkommen in Deutschland!«

Denglisch and Animals

It thinks it kicks a horse!

Ich habe eine Anmerkung zu machen, die sich vermutlich nur ein naiver Ausländer wie ich vorzubringen traut: Deutschland hat das falsche Wappentier!

Natürlich hab ich nichts gegen Adler. Das sind tadellose und gutaussehende Vögel. Das Problem ist: Wenn man eine weltweite Umfrage macht, welche Nation einen Adler als Wappentier hat, antworten alle außer die Deutschen: Die USA.

Natürlich ist das nicht die Schuld der Deutschen. Das Marketing-Team der USA war einfach cleverer: Sie nutzten Hollywood-Filme und eine recht aktive Außenpolitik, um es sich in den Wohnzimmern der ganzen Welt gemütlich zu machen. Wie auch immer – Deutschlands Wappentier braucht ein Re-branding.

Deutschland hat Glück. Die große Ernährerin, die Kuh, ist zwar bereits mehrfach vergeben – das Schwein aber merkwürdigerweise noch nicht (weshalb es vermutlich *Grief Bacon* angesetzt hat). Und es wäre das ideale Wappentier – so stark, wie es die deutsche Sprache prägt.

Meine erste Begegnung mit dem Schwein und seiner Allgegenwart in der deutschen Alltagskultur war allerdings eine Enttäuschung. Nachdem wir unsere erste gemeinsame Wohnung eingerichtet hatten, mussten meine Freundin und ich uns Maßnahmen überlegen, um unser knappes Geld für eine Weile zusammenzuhalten. Meine Freundin wollte, so verstand ich sie, ein *Spaßswine* mitbringen. Ich verstand zwar den wirtschaftlichen Nutzen nicht sofort, aber ich liebe Schweine. Vor allem *Fun Pigs*. Deshalb fragte ich nicht weiter nach, sondern freute mich auf den neuen Spielkameraden. Ihr könnt euch meine Enttäuschung vorstellen, als sie dann mit einem *Sparswine* nach Hause kam. Ich meine, es war okay, aber nicht wirklich geeignet, um damit im Park rumzutoben.

Je länger ich in Deutschland war, desto klarer wurde mir die Aussichtslosigkeit meiner Hoffnung, jemals ein Schwein als Haustier zu bekommen. Denn dieses arme, schlaue Tier muss konstant dafür herhalten, Leute herabzusetzen. Man muss das Wort »Schwein« einfach an ein beliebiges Hauptwort dranhängen und schon hat man jemanden beleidigt: ›*Käseschwein*‹, ›*Froschschwein*‹, ›*Versicherungsschwein*‹ etc. Denk mal drüber nach. Du *Grübelschwein*! Super, oder? Während du grübelst, drehen wir eine kleine Runde durch den Streichelzoo der *Denglisch Animals*.

Over Monkey Horny *(Oberaffengeil)*

Im Internet gibt es diverse Videos, die Affen beim Vergewaltigen von Fröschen zeigen.

Die schau ich mir manchmal an. Manche Menschen – nennen wir sie hilfsweise »die Normalen« – finden solche Videos abstoßend und halten sie für keine geeignete Mittagspausenbeschäftigung. Diesen Menschen antworte ich: *pppfffff*. Denn diese Videos sind das perfekte Mittel gegen die menschliche Überzeugung, die Krone der Schöpfung zu sein. Zum Beispiel nach einem Abend, an dem man mit ein paar Freunden die Welt neu geordnet hat. Oder mit einem Nihilisten über den Sinn unseres Daseins diskutiert hat. Oder nachdem man gelesen hat, dass eine weitere Schule in den USA ihre Schüler nur noch den Kreationismus lehrt. Wenn ich dann diesem grinsenden kleinen Affen zuschaue, wie er sich mit dem armen Frosch vergnügt, dann brauche ich keine weiteren Belege mehr für Darwins Evolutionstheorie. Ich weiß, dass wir den Denglisch-Ausdruck *over monkey horny* brauchen. Denn wir sind Tiere. Wir stammen vom Affen ab. Wir sind manchmal geil. Das ist völlig okay. Also kommt klar damit, ihr Normalen.

Donkey Bridge *(Eselsbrücke)*

Die englische Sprache hat keinerlei halbwegs adäquate Entsprechung zur *Eselsbrücke*. Es gibt »*mnemonic*« und »*memory aid*«. »*Mnemonic*« ist ironischerweise ein sehr schwer zu merkendes Wort – mit seiner angeberischen Kombination aus M und N führt es einen nicht über eine Brücke, sondern direkt in den eiskalten Bach – egal, ob man es aussprechen oder rechtschreiben soll. »Memory aid« dagegen klingt wie eines dieser Nahrungsergänzungsmittel, für die die Spam-Mail erfunden wurde. Aber Donkey Bridge?! Ja, Donkey Bridge! Das ist perfekt. Was immer du nicht vergessen darfst: Pack es deinem getreuen Graurock auf den Rücken und er wird es geduldig tragen, bis du es wieder brauchst. Dein Gedächtnis-Esel wird dich dabei anschauen, als wolle er sagen: »Entspann dich. Bei mir ist die Last sicher. Wir gehen jetzt gemeinsam da rüber. Über die Donkey Bridge nach Memoryville. Ich lass dich nicht im Stich.«

Ear Worm *(Ohrwurm)*

In England läuft eine landesweite Aktion (okay, das ist vielleicht ein bisschen übertrieben; aber der Comedian Stephen Fry hat immerhin mal was dazu getwittert, glaube ich) mit dem Ziel, einen englischen Ausdruck zu schaffen, der dem deutschen *Ear Worm* entspricht. Momentan hat das Englische nämlich nichts zu bieten, um dieses kuriose Phänomen zu benennen: Der schlimmste aller Songs, den du in den vergangenen Tagen unfreiwillig gehört hast (in der Kneipe, im Kaufhaus, im Radio), dreht sich in einer Endlosschleife durch dein Hirn, so dass kostbare Erinnerungen und Gefühle von Boney M oder den Village People verdrängt werden oder du nicht Einschlafen kannst, weil »*I'm blue da ba dee da ba daa*« durch dein Hirn wabert. Ein Engländer würde das Problem momentan so benennen: »*musical imagery repetition*« oder »*involuntary musical imagery*«. Toll! Keiner dieser Ausdrücke erfasst den übergriffigen, unfreiwilligen, von außen kommenden Charakter dieses Vorgangs. Es ist, als stehe plötzlich ein Einbrecher in deinem Gehirn, der sich nicht nur weigert, wieder zu verschwinden, wenn du ihn dazu aufforderst, sondern der sich direkt vor dir aufbaut und feixend den Refrain deines absoluten Hass-Lieds summt. Natürlich nicht den vollständigen Refrain. Schön wär's. Diese Freundlichkeit hat der *Ear Worm* in der Regel nicht. Stattdessen nimmt dieser boshafte kleine Geselle den Song auseinander, fügt in willkürlicher Reihenfolge einige Versatzstücke wieder zusammen und gibt noch ein paar eigene kompositorische Einfälle dazu. Das geschieht dem Song zwar in der Regel recht, aber es macht den *ear worm* noch unerträglicher: Du bist einem wilden Nonsens-Gesumme ausgeliefert, das dem Ursprungslied nur noch vage ähnelt und etwa so klingt: »*Sometimes I feel, boom boom! Paaainted love! Boom boom! Paaaainted love! Get awaaaay. Boom boom!*«

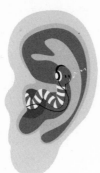

I'm Blue
da ba dee da ba daa
da ba dee da ba daa
da ba dee da ba daa
da ba dee da ba ...

Fear Bunny *(Angsthase)*

Der Umstand, dass die englische Sprache den Ausdruck »*scaredy cat*« für Menschen verwendet, die übertrieben ängstlich sind, lässt einen daran zweifeln, dass diese Sprache jemals eine Auseinandersetzung mit einer Katze erlebt hat. Katzen haben Zähne. Katzen haben Krallen. Katzen sind schnell. Biegsam. Beweglich. Entschlossen. Kampfeslustig. Hart im Nehmen. Du kannst eine Katze nehmen, sie wie einen fellbesetzten Ventilator um deinen Kopf kreisen lassen und sie dann aus dem zwölften Stock werfen. Das wird sie nicht weiter beeindrucken oder verunsichern. Sie wird sanft landen, dich kurz anschauen, um sich dein Gesicht zu merken (wehe dir!), und sich dann in aller Ruhe putzen, als sei nichts gewesen. Gegen eine Katze bist du ein nichtswürdiger Niemand. Katzen sind furchtlose Raubtiere. »*Scaredy cat*« ist mithin eine vollkommen unangemessene, idiotische Metapher, die umgehend durch den fluffigen, knuddligen Denglisch-Ausdruck *Fear Bunny* ersetzt gehört! Schließlich sind die drei gefürchteten Kampfmethoden des Hasen nur zu bekannt: Hektisches Schnüffeln, Wegrennen und Totstellen.

Tie a bear on someone
(Jemandem einen Bären aufbinden)

Nach jahrelangen akribischen Recherchen bin ich hundertprozentig sicher, dass der Ursprung dieser Redensart in etwa folgender sein könnte: Es waren einmal drei Jägersleute, die in ein Wirtshaus einkehrten, um ihren Hunger und ihren Durst zu stillen. Nun hatten sie aber kein Geld. »Keine Sorge, Gevatter«, sprachen sie zu dem besorgten Wirt, »wir haben zwar unsere Geldbeutel daheimgelassen, aber wir führen einen prächtigen Bären mit uns, wie es sich geziemt für Männer ehrlichen und edlen Sinnes. Wir werden den Bären draußen anbinden als Unterpfand für unsere Zeche. Unsere Geldbeutel sind einige Tagesmärsche entfernt. Dann werden wir zurückkehren und den Bären auslösen.« Der Wirt glaubte ihnen, wie es sich für einen wackeren Deutschen gehört, und willigte in den Handel ein. Und so aßen und tranken die Jäger, was die Küche hergab, hielten das gesamte Wirtshaus und auch den Wirt selbst frei und häuften die gewaltigste Zeche an, die das Wirtshaus im Walde je gesehen hatte. Dann machten sie sich davon.

»Hoho«, rief der Wirt vergnügt, »wir haben ja den Bären.« Aber was soll ein Wirtshaus mit einem Bären? Der Wirt erbleichte und erkannte, dass ihm da jemand gewaltig einen Bären aufgebunden hatte.

Zur Erinnerung an diesen »Ich-lass-meinen-Bären-als-Pfand-hier-und-bin-gleich-wieder-da«-Streich bietet das Denglische die Formulierung *to tie a bear on someone*. Man benennt damit sowohl Verarschungaktionen als auch die dorsale Befestigung eines großen Landraubtiers an einem Menschen. Zugegeben, letzteres geschieht eher selten – aber wenn, dann bietet es die einmalige Gelegenheit zu folgender Frage: »Du bindest einen Bären auf mir fest?! Willst du mir einen Bären aufbinden?!«

Spike Pig *(Stachelschwein)*

Es war Sigmund Freud, der das klassische Dilemma des Igels und des Stachelschweins populär machte. Er verglich geilen Sex, die triebhafte Seite menschlicher Beziehungen, mit der Situation stachliger Tiere, die sich aneinanderkuscheln, um zu poppen, emotionale Nähe zu spüren. Natürlich will man dem Partner so nahe wie möglich sein, um echte Intimität zu erleben und möglichst in der Hitze der Berührung aufzugehen – aber je näher man dem anderen auf die Pelle rückt, desto eher wird man auch seine Schutzhülle verletzen und ihm weh tun. Eine schöne und zugleich furchtbar traurige Vorstellung. Mein Vater hat mich nie geliebt!

Vor jedem ersten Date müssen wir uns aufs Neue fragen: Riskiere ich, zu verletzen und verletzt zu werden wie das Stachelschwein? Oder öffne ich mich lieber nicht, sondern *hedgehog myself*? Wegen dieses ewigen Dilemmas schlagen wir vor, *Spike Pig* ins Denglische aufzunehmen – als Ehrenbezeichnung für die mutigen Menschen, die ihre Wohnung jeden Morgen in Pantoffeln und ohne Stadt- und sonstigen Plan verlassen; die sich trauen, in fernen Ländern Urlaub zu machen, obwohl es dort nicht mal *Schorle* gibt; die Vereine gründen; die an Feiertagen von morgens bis abends rumgrölen; die weitersingen, wenn alle »Aufhören!« schreien; die es schaffen, sich selbst im Stadion danebenzubenehmen; die jeden Schlagerhit mitsingen und -tanzen. Kurz: Menschen, die für das einstehen, woran sie glauben – auch wenn sie es durch ihre Leidenschaft zerstören wie einen Luftballon. »Ruhm oder Verderben!«, so schreit das furchtlose *Spike Pig*.

Old foxes go hard into the trap
(Alte Füchse gehen schwer in die Falle)

Nicht zuletzt der Weisheit seiner Sprichwörter dürfte Deutschland seine Position als führende Wirtschaftsmacht Europas verdanken. Während die jungen Füchse der anderen Länder in die lächerlichen Fallen tappten, die ihre Banken und spendierfreudigen Regierungen ihnen hingestellt hatten, stützten die Deutschen sich auf ihr altes Wissen. Andere warfen sich kopfüber in die Blase und kauften »als Geldanlage« erst ein Haus für sich – und dann noch eins. Und noch ein drittes. Solvente Mieter würden sich schon finden. Dann brauchten sie erst eine Kreditkarte, dann eine zweite und dann eine dritte, um den Unterhalt der drei Häuser zu finanzieren. Die Deutschen dagegen blieben vorsichtig und gewissenhaft. Sie schnupperten misstrauisch an den Fallen, blieben skeptisch und schenkten den Schildern keinen Glauben, die versprachen: »Gratis Küken! Garantierte Renditeverdopplung jedes Jahr – einfach hier unterschreiben!«. Die Deutschen blieben Mieter. Sie schrieben weiter schwarze Zahlen. Brachten weiterhin jede Bierflasche zurück in den Supermarkt, um 0,08 € Pfand zu kassieren. Und jetzt, da alle anderen feststecken, geht es den Deutschen bestens. Als Volk der alten Füchse, *Germany goes hard into the trap.*

GRATIS
CHICKS*

· 0% ZINSEN
· SOFORT VERFÜGBAR
· KEINE ANZAHLUNG

*COOLE JUNGE FÜCHSE BEVORZUGT

Egglaying Wool Milk Pig
(Eierlegende Wollmilchsau)

Die deutsche Sprache bezeichnet einen Alleskönner etwas abschätzig als *egglaying Wool Milk Pig*. Die Deutschen trauen solch einem niederen Tier offenbar – trotz unterstellten guten Willens – nicht zu, mit seinem verwirrenden Mix aus bescheidenen Talenten klarzukommen. Ich sehe das anders und werfe der deutschen Sprache vor, die Überlegenheit und Unbesiegbarkeit eines *egglaying Wool Milk Pig* systematisch zu unterschätzen. Würde es existieren, wäre es ohne Zweifel der Herrscher der Tierwelt. Der Löwe würde zum stellvertretenden Abteilungsleiter degradiert. Denn was sollte dem *egglaying Wool Milk Pig* fehlen? Nichts! Wie bitte? Was meintest du? Verteidigungsmöglichkeiten sollen ihm fehlen? Du meinst, seine eierlegenden, wolleproduzierenden, milchgebenden Fähigkeiten würden nicht genügen in einem Kampf auf Leben und Tod gegen einen Adler oder ein Krokodil?

Quatsch!

Reiche und mächtige Nationen gründeten stets auf Gold, Baumwolle, Tee, Kohle, Eisenerz, Seide, Opium oder Diamanten – nicht auf Verteidigungsmitteln. So würde auch das *egglaying Wool Milk Pig* seinen Reichtum an Rohstoffen nutzen, um mit seinen Fressfeinden ins Geschäft zu kommen. Präsentkörbe voll mit Milchshakes, Omelettes und Wollsocken würden das Wohlverhalten auch der grausamsten Widersacher erkaufen und selbst Schakale und Haie besänftigen. Hey, Disney! Euer Blockbuster hatte den falschen Titel! *The Lion egglaying Wool Milk Pig King* wäre richtig gewesen!

My Dear Mister Singing Club's School of Denglisch: Gender Surrender

Ich vermute, dass so gut wie jeder, der Deutsch lernt, von der Idee des grammatischen Geschlechts fasziniert ist – zumindest dann, wenn er sie nicht schon aus seiner Muttersprache kennt. Wir dürfen einen Blick in die Werkstatt der sprachlichen Logik werfen. Denn wir wussten ja stets, dass Bananen, Möhren und Spargel männlich sind. Ich meine, schau sie dir doch an! Nur fehlte uns bisher das sprachliche Werkzeug, diesem Wissen Ausdruck zu verleihen. Aber jetzt, als frischgebackene Jünger der deutschen Sprache, können wir erstmals nach dem heiligen Gral der Geschlechterzuordnung aller Hauptwörter greifen.

Spucken wir also in die Hände, spitzen wir den Bleistift und öffnen die »Deutsch-für-Doofe«-Lehrbücher, um uns in das Studium der grammatischen Geschlechter zu vertiefen. Aber das ist der Moment, in dem das Kartenhaus unserer Begeisterung gleich wieder in sich zusammenfällt. Oder besser: in dem wir die Karten in ungläubigem Entsetzen und in ohnmächtiger Wut zerfetzen und durch die Gegend schmeißen. Weil wir nun leider feststellen müssen, dass die Zuordnung der Geschlechter keiner irgendwie erfassbaren Logik folgt. Nicht mal »Banane« ist männlich. Also jetzt mal ehrlich! Ich habe nach Logik und Poesie gesucht – und fand einen gleichgültigen Sachbearbeiter, der Wörter will-

kürlich in eine von drei Kisten mit »Der«, »Die« und »Das«
schmeißt.

An dieser Stelle des Kapitels müsste ich, gemäß dem bishe-
rigen Aufbau des Buchs, normalerweise dafür plädieren, das
Konzept des grammatischen Geschlechts ins Denglische zu
übernehmen, um es so den englischsprechenden Erdenbür-
gern schmackhaft zu machen. Wie soll ich das jetzt hinkrie-
gen? Natürlich würden die Geschlechter das Englische berei-
chern und ihm eine poetische Komponente hinzufügen, was
man als positiv darstellen könnte. *Der Mond* und *die Sonne*,
das schöne Paar, das den großen, kosmischen Walzer von
Tag und Nacht im prächtigen Ballsaal des Firmaments tanzt.

Klingt doch gut, oder?

Aber da das alte Englisch über Geschlechter verfügte (und
dabei noch unlogischer vorging als das Deutsche – so war
»woman« ein Maskulinum) und da auch das moderne Englisch immer noch damit flirtet, wie bei *steward* und *stewar-
dess*, *actor* und *actress*, aber auch bei bestimmten »femininen«
Ländern wie zum Beispiel England selbst, sowie bei Schiffen,
die »shes« sind, würde ich einerseits offene Türen einrennen
– und andererseits dem weisen englischen Urvater Unrecht
tun, der die grammatischen Geschlechter einst aus dem Englischen rausgeworfen hat.

Das Englische bemüht sich heute um größtmögliche Distanz zu diesem Konzept. Aus »chairman« wird »chairperson«
aus »policeman« der »police officer« und aus dem »fireman« der
»firefighter«. Wir sollten es nicht tun, aber in einer Mischung
aus Bequemlichkeit und politischer Korrektheit ignorieren
wir die Vielfalt, die die Verwendung grammatischer Geschlechter bieten würde. Deshalb ist es vermutlich viel zu
spät für deren Wiedereinführung. Und wie sollte das auch

vor sich gehen? Gäbe es ein landesweites Referendum, bei dem wir alle abstimmen könnten, welches Geschlecht das Wort »*hermaphrodite*« bekommen soll? Das würde nicht funktionieren.

Wir könnten auch eine Fernsehlotterie daraus machen. Eine Lottofee in einem hautengen Kleid würde lächelnd ankündigen, dass das Hauptwort des heutigen Abends »*ventriloquist*« (= Bauchredner) sei und dass der anwesende Notar sich vom ordnungsgemäßen Zustand der je 100 Kugeln mit der Aufschrift »der«, »die« und »das« überzeugt habe. Dann würde die Trommel sich in Bewegung setzen und schließlich eine Kugel mit »das« ausspucken, dem künftigen Artikel des Worts »ventriloquist«.

Natürlich liegt unser Fehler beim Hadern mit den deutschen Geschlechtern darin, dass wir nach einer logischen Verbindung zwischen den benannten Dingen und ihrem grammatischen Geschlecht suchen. Wir wollen eben alles personifizieren. Wir wollen Hauptwörtern wie »Katze« und »Maus« Kleidchen anziehen und sie schminken, oder dem »Hund« eine Hose verpassen. Dabei kann man die Sache nur verstehen, wenn man kapiert, dass das Geschlecht sich nach dem Wort richtet und nicht nach der durch das Wort benannten Sache.

Wenn man das mal begriffen hat, kann man ganz mechanisch lernen, dass Wörter auf -heit, -keit, -schaft und -ung fast immer weiblich sind, während Wörter auf -ling, -ich, -en, und -er männlichen Geschlechts sind. Man kann entspannt und freudig genießen, was für grandiose Missverständnisse die Geschlechter der deutschen Sprache bringen können. Wie bei dem Mann, der losging, ein Pferdchen zu kaufen, und mit einer neuen Frisur heimkam. Oder beim

Mus / Mousse, das nach einer schweren Identitätskrise mit einer Der-die-das-Diagnose in der Psychiatrie gelandet ist. Oder bei dem türkischen Autoverkäufer, der zum Internet-Star wurde und dessen Verkaufszahlen durch die Decke gingen, weil er ein Auto als »der Gerät« statt »das Gerät« angepriesen hatte. Er wurde in eine Fernsehshow eingeladen, nur um seinen kleinen Grammatikfehler mit erotischer Komponente zu wiederholen. Und eine Million Leute sahen sich das auf YouTube an.

Ich glaube inzwischen, dass die deutsche Sprache genauso funktioniert wie das Kartenspiel Mao: Die Deutschen behaupten steif und fest, es gebe Regeln, aber sie weigern sich standhaft, dir diese Regeln mitzuteilen – weil sie sich so darüber amüsieren, wenn du lustige Fehler machst.

Denglisch Wisdom

Who won't listen must feel

Die Deutschen müssen sich nicht für ihre Sprache und deren Eigenheiten rechtfertigen. Sie leben in dem Bewusstsein, dass ihre Sprache der Schlüssel zum weltbesten Schatz uralten Wissens ist. Da kommt nicht jeder rein. Eine Abkürzung zur Erleuchtung gibt's nun mal nicht. Weisheit muss man sich verdienen. Deutschland hat sich seit jeher in tadelloser Weise bewährt auf den Feldern der Philosophie, der Literatur und nicht zuletzt der Poesie. Deutsch, das ist die Sprache von Bach, Nietzsche, Kant, Marx, Goethe und vielen anderen bedeutenden Toten, die viele schlaue Dinge sagten, an denen die Lebenden bis heute rumknabbern.

Entsprechend schwierig war es, für dieses Kapitel eine Auswahl aus diesem Schatz der deutschen Weisheit zu treffen. Ob es nun um das *holy Indian-honour-word* (heiliges Indianerehrenwort) geht, *that went in the trousers* (das ging in die Hose), *he who fries someone else's sausage has a sausage-frying-device* (Wer andern eine Bratwurst brät, der hat ein Bratwurst-Bratgerät), *sometimes even blind chickens can also find corn* (selbst ein blindes Huhn findet manchmal ein Korn), *well-known like a colorful dog* (bekannt wie ein bunter Hund), oder darum *to add your mustard everywhere* (überall seinen Senf dazugeben). Am Ende haben wir uns schließlich schweren Herzens für die folgenden sechs Fundstücke entschieden.

Remember, you're going to die
(Bedenke, dass du sterben musst)

Berufsjugendliche haben jüngst den englischen Satz »*you only live once*« zum kürzeren und peppigeren Akronym *YOLO* verballhornt. Das rufen sie vermutlich als permanente Rechtfertigungsformel, während sie völlig idiotische Dinge tun, die ihre Gesundheit oder zumindest die ihrer Genitalien gefährden. Die Formel YOLO ist zum Brandbeschleuniger kompletter Dämlichkeit geworden. Für Leute, die in Fässer steigen und einen steilen Hang runterrollen. Für das besoffene Herumbalancieren auf Balkonbrüstungen und Dächern. Für *chest-bumpings* mit einem Schaufenster.

Die durch und durch spaßbefreite, etwas altmodische deutsche Formulierung »*remember, you're going to die*« gibt keinerlei Raum für solche Idiotien. Sie dient dazu, uns zu erden und mit Demut statt mit Dämlichkeit zu erfüllen. Weil sie nicht so sehr die Lebensfreude betont, sondern die Gewissheit des Todes. Voll der Stimmungskiller. Die Redewendung sagt: »Du wirst sterben, kleiner Timmy, und zwar schon sehr bald, genauer gesagt, in wenigen Sekunden, wenn du nicht umgehend von diesem Dach runterkommst. Wodka-Red-Bull hin oder her: Du kannst nicht fliegen. Und das da sind auch keine Flügel, sondern die Vorhänge aus dem Wohnzimmer, du besoffener Trottel.«

Is it art – or can I chuck it?
(Ist das Kunst – oder kann das weg?)

In London gibt es ein Museum namens *The Tate Modern*. Es ist sehr groß und enthält Kunst. Und Müll. Manchmal sieht der Müll aus wie Kunst. Manchmal ist es umgekehrt. Und manchmal i s t der Müll Kunst. Oder umgekehrt. Oder die Kunst besteht aus Müll. Oder umgekehrt. Alles sehr verwirrend. Und sehr modern.

Gleich rechts, wenn man reinkommt, kann man beispielsweise ein altes, ungemachtes Bett bestaunen, das möglicherweise einen renommierten Kunstpreis gewonnen hat und eine sechsstellige Summe wert ist. Stünde es fünf Meter weiter vorne, auf dem Bürgersteig vor dem Gebäude, würde es umgehend von vierschrötigen Männern in orangenen Westen auf Kosten des Steuerzahlers abtransportiert.

Der wunderbare Denglisch-Ausdruck »*Is it art – or can I chuck it?*« lässt jedem blasierten Kunstkenner erst mal die Luft ab und erinnert jeden Künstler daran, dass er Kunst, die aus irgendeinem Grund mit Müll verwechselt werden könnte, stets mit einer guten Begründung dafür versehen sollte, warum sie zusammen mit eindrucksvollen Gemälden und Skulpturen in einem Museum stehen muss, statt direkt davor auf der Straße als Katzenklo dient.

Live like God in France
(Leben wie Gott in Frankreich)

Dass die Deutschen Frankreich lieben, liegt auf der Hand. Die Anziehungskraft, die insbesondere Paris auf die »boches«

ausübt, ist historisch vielfach belegt. Möglicherweise gibt diese Formulierung einen Hinweis auf die Gründe dieser Zuneigung. Wie alle Comedy-Autoren bin ich allerdings sehr skeptisch gegenüber nationalen Stereotypen. Hüstel. Wenn ich diese Skepsis aber mal hinten anstellen würde, dann würde ich der deutschen Überzeugung zustimmen, dass das höchste Ziel eines jeden Menschen nur darin bestehen kann, allmächtig und allwissend zu sein und sich dabei im Land des Croissants aufzuhalten. Dann könnte man zur Mittagszeit frühstücken und dabei ein Päckchen Gauloises rauchen, eine Flasche Rotwein trinken, sich einen Schnurrbart wachsen lassen, die Welt erschaffen, eine existentialistische Diskussion über die Sinnlosigkeit dieser Schöpfung anzetteln, stundenlang Sex haben und den Arbeitstag gegen drei Uhr nachmittags beenden. Was könnte besser sein als das? *Vive la D'anglais!*

Everything has an ending only the sausage has two
(Alles hat ein Ende, nur die Wurst hat zwei)

Auch der lernwilligste Ausländer wird Schwierigkeiten haben, die Gültigkeit dieser Weisheit anzuerkennen – zum einen vielleicht wegen seiner Sturheit, aber vor allem wohl weil es einfach Blödsinn ist. Wenn du diesen Satz von dir gibst, kriegst du höchstwahrscheinlich so eine Antwort: »Also, jetzt mal ehrlich: Nach dieser Logik hat doch alles, was länglich ist, zwei Enden – und nicht nur die Wurst. Was ist mit Zahnpasta? Vorhangstangen? Bananen? Und diese kleinen Hunde – wie heißen die noch mal? Ach ja, *Dachshunde*.«

Wenn das geschieht, solltest du mit dramatischer Geste hinausstürmen und dich nur noch mal umdrehen, um auszurufen: »Ihr wollt es einfach nicht kapieren, was?«, oder aber: »Ja, ja, der *Dachshund* – auch so ein Wort, das die deutsche Sprache dem Englischen geschenkt hat, um ihm ein wenig auf die Beine zu helfen. Keiner von euch ahnt, dass in Deutschland niemand das Wort *Dachshund* benutzt, wenn er einen Dackel meint. Ha!«

Life is not a pony farm
(Das Leben ist kein Ponyhof)

Die Deutschen sind nicht empfänglich für billige, kindische Vorstellungen eines Utopia. Sie sind Realisten und wissen, dass in diesem rätselhaften Dasein die größte Annäherung an das wahre und vollendete Glück ein Job auf einem Ponyhof wäre. Stell dir vor: Du dürftest jeden Tag früh aufstehen, das Futter für all die vielen Ponys vorbereiten, sie alle füttern, sie alle raus auf die Weide bringen, sie alle im Kreis führen, sie alle wieder füttern, sie alle striegeln, eine Schaufel nehmen und die stinkende Kacke all der vielen Ponys aus den Ställen und von deinen Beinen kratzen, sie wieder füttern, sie wieder striegeln, wieder Kacke wegmachen, füttern, im Kreis führen – und abends schmeißt du dann all deine Klamotten in die Waschmaschine, versuchst, den Ponykackegeruch von dir selbst abzuwaschen, gehst ins Bett und fängst am nächsten Morgen wieder von vorne an. All die vielen Ponys. Jeden Tag. In alle Ewigkeit. Denn du hast einen Ponyhof. Das ist dein Leben. Es ist das Paradies auf Erden, oder? Jawoll!

Läge die *Pony Farm* in Frankreich, wäre das größte deutsche Glücksversprechen ganz sicher: *Life is living like a God in a pony farm in France.*

Nice is the little brother of shit
(Nett ist der kleine Bruder von Scheiße)

Die Deutschen haben keinerlei Neigung zu falschen Nettigkeiten. Ich finde das gut. Wieso sollte man lächeln, nur weil ein Kunde den Laden betritt? Wieso sollte man fragen, wie es jemandem geht, wenn er einem scheißegal ist? Was richtig ist, kann man schließlich nur lernen, wenn einem gesagt wird, was falsch ist. Als ich meine Freundin kennenlernte, beging ich anfangs den Fehler, Fragen zu stellen, auf die ich keine ehrliche Antwort hören wollte. Wie zum Beispiel »Hat dir mein Essen geschmeckt?«, »Was hältst du von meinem Bruder?«, »Wie steht mir dieses geringelte T-Shirt?«, »Wie war ich?« Meine englischen Exfreundinnen hätten darauf mit einem vielleicht etwas hohl, aber durchaus angenehm klingenden *»wow … it/he/she/they …was/is/are …great!/amazing!/ brilliant!«* geantwortet. Das ist zwar schön, nützt aber niemandem. Nur Kritik regt das Nachdenken über sich selbst an. Erst die Zurückweisung spornt die Kreativität an. Klare Meinungen helfen beim Lösen von Problemen. Der Versuch, einen Affront zu vermeiden, erzeugt oft erst den eigentlichen Affront.

Kürzlich plante meine Freundin unseren Weihnachtsbesuch bei meinen Eltern – und überlegte, was sie zum Fest beitragen könne. »Soll ich etwas kochen?«, fragte sie mich.

»Wenn du Lust hast«, sagte ich.

»Und was ist, wenn es ihnen nicht schmeckt?«

»Das spielt doch keine Rolle. Sie werden sagen, dass es köstlich und super und das beste Essen seit dem Letzten Abendmahl war.«

»Und was hab ich dann davon? Wenn ich keine ehrliche Antwort erwarten und sowieso nichts falsch machen kann, macht es keinen Spaß, es überhaupt zu versuchen.«

So sind sie, die Deutschen. Klug genug, um zu wissen, dass *nice is the little brother of shit*. Sie sagen immer genau das, was sie denken – ohne falsche Rücksicht auf Empfindlichkeiten. »Dein Essen war versalzen, dein Bruder sollte sich endlich mal seinem Alter entsprechend benehmen, das geringelte T-Shirt betont deine Wampe und der Sex war etwas schmerzhaft, dank deines Ellbogeneinsatzes. Aber abgesehen davon ist eigentlich alles in Ordnung, würde ich sagen.«

Dank

So, liebe Denglisch-Schüler, wir sind nun am Ende unseres kleinen Wörterbuchs der Sprachverwurschtelung. Wir hoffen, dass diese Reise zu den aufregendsten Möglichkeiten der deutschen Sprache euch Spaß gemacht hat, und wir wünschen euch viel Erfolg beim Versuch, die Millionen und Abermillionen nichtsahnenden Ausländer mit der neuen Weltsprache Denglisch vertraut zu machen.

An dieser Stelle müsste traditionell *Auf Wiedersehen* stehen. Vorher möchten wir aber einigen Menschen danken. Zuerst und vor allem Annett und Linn, unseren weltbesten Integrationshelfern, die wir für dieses Buch recht dreist zu »meine deutsche Freundin« zusammengerührt haben. Danke euch beiden dafür, dass ihr uns so wunderbar, unterhaltsam, geduldig und unermüdlich gezeigt habt, wie es ist, deutsch zu sein. Ohne euch wäre dieses Buch gänzlich frei von Anekdoten – und wir säßen vermutlich im Gefängnis, weil wir die ganzen offiziellen Behördenschreiben, Rechnungen und Mahnungen ignoriert hätten, um die ihr euch für uns gekümmert habt.

Ein weiterer Dank geht an all die Unbekannten da draußen im Internet, die Listen mit Denglisch-Wendungen erstellt, geteilt und geposted haben, die in dieses Buch eingeflossen sind. Speziell bedanken wir uns bei allen Mitwirkenden der Website www.ithinkispider.com, der größten und besten dieser Listen. Ebenfalls ein spezieller Dank geht an Gabi, die

Offline-Version dieser Internet-Listen – ein lebendiges, immer kicherndes Lexikon deutscher Redewendungen.

Zuletzt wollen wir uns bei all den freundlichen und aufgeweckten Menschen bedanken, die wir in unserer Zeit in Deutschland kennenlernen durften. Kein Zweifel: Nur eure Wärme und Großzügigkeit haben dafür gesorgt, dass wir uns hier wirklich zu Hause fühlen, dass wir gerne hierbleiben und dass wir uns weiter für eure Kultur interessieren. Vielen Dank!

With friendly greetings,
Ädäm Fletscher and Päul Häwkins

FOX DEVIL WILD'S

Denglisch Restaurant

*Looking over the edge
of our plates since 1952*

MENU

met in our years of living in Germany. It is, without doubt, only because of your warmth and generosity that we're still here, and remain so interested in your culture. Thank you.

With friendly greetings,
Ädäm Fletscher and Päul Häwkins

FOX DEVIL WILD'S

Before Meals/Snacks

Potato Soup
This classic dish is like balm for your soul.

——— • ———  **3,90**

Raw Pork Roll
*Under every pig but served on a
well earned bread roll.*

——— • ——— **2,50**

Revenge Blood Sausage
Best served cold.

——— • ——— **2,40**

Handcheese (with music)
*Strong cheese served with oil, vinegar,
onion and peppered into the corner.
Music optional.*

——— • ——— **3,90**

Cherry Eating
*If with you is good cherry eating, we recommend
these fresh cherries from our garden. Served with
very first cream.*

3,90

FOX DEVIL WILD'S

After Tables

Joke Cookies and Ice
Proving that life is for sugarlicking.

☞ **3,90**

Honey Cake Horse
*This will put honey around the mouth and a
grin on the face of even the biggest of funbrakes.*

☞ **3,90**

Tree Cake

*Always popular, this after table
goes away like warm bread rolls*

☞ **4,50**

Deadly Blackforrestcherrycake
*A house speciality.
We're sure you're dying to try it.*

☞ **5,90**

Peace Joy Pancakes
*These eggcakes will bring an end
to your worldpain.*

☞ **5,50**

FOX DEVIL WILD'S

Main Dishes

(at 10pm is the oven out)

Pork Knuckle
You can trust this roast.
Served with a side of potato buffer.

— • — ☞ **12,90**

Rabbit Pepper Stew
For people who know how the bunny is running,
go here where the pepper grows.

— • — ☞ **13,90**

King's Mountain Meatballs
Served with sour cabbage and mouth pockets.

— • — ☞ **14,90**

Roast Chicken Breast
They are no longer laughing, yes, the Chickens.
Served with oven potato and assorted
vegetables, all in butter.

— • — ☞ **11,90**

Atlantic Salmon and Early Potatoes
Served with salad and butter by the fish(es).

— • — ☞ **13,90**

Fox Devil Wild's Colourful Salad
The unusual flavourings in this salad are sure to
ask a hole in your stomach. Comes with swinging
eggs, fried stork and luck mushrooms.

☞ **10,50**

FOX DEVIL WILD'S

Tired of searching yourself the wolf to find
a good meal but finding only nonsense with sauce?
Then trust us at Fox Devil Wild's.
Nothing here is eaten as hot as it's cooked.
So bring your sheep into the dry, relax, and let us run the
water in the mouth together.

Max Sampleman
Head Cook

Early Piece

Eggs: Mirrored or Lost

*A personal favourite and very much the
yellow from the egg, served with sausages
(two-ended) and tomatoes.*

3,90

Bavarian's Breakfast

*Greet the day God in style with this break-
fast feast of offended liver sausages,
meatloaf and pretzels. Served with wheat
beer (leather trousers optional)*

9,90

FOX DEVIL WILD'S

Drinks

Sparkling Water
Very reachable.

☞ **1,75**

Beer
assorted

Ask your waiter to list our wide range of noble beers. All can be served as a beer boot and perfect for a game of measuredjuglift.

Wines
assorted

Please see our separate wine list.
We stock a range of late harvest, featherwhite, ice, shyvine goodnoble, whitemountain and thornfield varieties.

Juice
€2,20 (s) / €3,95 (l).
What's this for a Juice shop here?
Orange, Cherry, Banana, Apple, Pear.

☞ small **2,20**

☞ large **3,95**